INICIACIÓN
En el Eón del Niño
EL VIAJE INTERIOR

INICIACIÓN
En el Eón del Niño
EL VIAJE INTERIOR

J. Daniel Gunther

WENNOFER HOUSE

INICIACIÓN EN EL EÓN DEL NIÑO
PRIMERA EDICIÓN ESPAÑOLA
TRADUCCIÓN: SANTO RIZZUTO
MAQUETACIÓN: ANNETTE GRAY
COPYRIGHT 2023 © J. DANIEL GUNTHER
PUBLICADO POR WENNOFER HOUSE 2024
CON PERMISO DE IBIS PRESS

ISBN: 978-0-9995936-6-0

Contenido

Permisos

Aion por C.G. Jung © 1959 Bollingen, 1987, Renovado. Reimpreso con permiso de Princeton University Press.

Anatomy of the Psyche por Edward Edinger © 1985 Open Court Publishing Company. Reimpreso con permiso de Open Court Publishing Company, una división de Carus Publishing Company, Peru, IL.

Psychology & Alchemy por C.G. Jung © 1953 Bollingen, 1981, Renovado. Reimpreso con permiso de Princeton University Press.

Reading Egyptian Art por Richard Wilkinson © 1992 Thames and Hudson Ltd, London. Reimpreso con permiso de Thames and Hudson.

Imágenes de las Cartas del Tarot de Aleister Crowley/Frieda Lady Harris Thoth Tarot Deck © 1944 Ordo Templi Orientis. Reimpresas con permiso de Ordo Templi Orientis.

AGRADECIMIENTOS

Me gustaría dar las gracias a Frater V.V. por poner a disposición los materiales de investigación necesarios, por ofrecer sugerencias y críticas útiles, y por su continuo apoyo y asistencia. Frater S.U.A. asesoró sobre traducciones en latín y griego, y proporcionó copias digitales del manuscrito para agilizar la edición. John-Peter Lund leyó cada borrador del manuscrito, verificó las citas para mayor exactitud, proporcionó muchas sugerencias útiles, y me empujó suave y constantemente durante una década para completar este libro. El Dr. Harold M. Hays prestó asesoría y ayuda con traducciones egipcias y etimología, así como muchas referencias textuales en los papiros, los Textos de las Pirámides y los Textos de los Sarcófagos. El Dr. Richard Kaczynski proporcionó una valiosa ayuda de investigación. Daniel y Julia Pineda ayudaron con las revisiones. Dan Spomer produjo todos los dibujos lineales y la Rosa Cruz para la sobrecubierta. Nicole Laliberte etiquetó mis numerosos diagramas. Tengo una gran deuda de agradecimiento con mi amigo James Wasserman, quien asumió la tarea poco envidiable de editar este libro en medio de una agenda atareada. Él proporcionó un comentario crítico y sabio, y me inspiró para llevarlo a cabo. Gracias también a Nancy Wasserman por su calidez y hospitalidad.

Estoy profundamente en deuda con mi esposa por los años de interminable paciencia y las incontables horas de gestionar un hogar agitado para asegurar que tuviera el tiempo para dedicar a este trabajo. Sin su apoyo, amor y devoción, no habría sido posible. Por último, estoy continuamente agradecido por mis tres hijos, que han sido una fuente invaluable de inspiración. Me han ayudado a entender la Gran Obra de maneras que nunca conocerán.

J. DANIEL GUNTHER
6 de agosto , 2005 e.v.

Para

M.A.A.T.

que convocó

Ahora Iniciación es, por etimología, el *viajar al interior*; es el Viaje de Descubrimiento (¡oh Mundo-Maravilla!) de la propia Alma de uno. Y es la Verdad la que se yergue en la proa, eternamente alerta; ¡es la Verdad la que se sienta agarrando el timón con una mano fuerte!

—ALEISTER CROWLEY
Pequeños ensayos hacia la verdad

PREFACIO

Iniciación en el Eón del Niño es la primera publicación de algunas de las instrucciones orales de la A∴A∴ moderna, la orden docente co-fundada por Aleister Crowley en 1906–07 e.v. J. Daniel Gunther escribe con claridad, autoridad y seriedad persuasiva sobre temas recónditos y difíciles, tales como la evolución de Thelema más allá de la dispensa dada a Aleister Crowley en Los Libros Sagrados. Él emplea copiosas ilustraciones para aclarar su exposición.

Este es uno de aquellos libros raros que se eleva, en algunos pasajes, al nivel de perspicacia doctrinal transmitida. Sin embargo, la escritura de Gunther siempre permanece basada en una sólida erudición, con atención particular a la Egiptología y los estudios psicológicos de C. G. Jung y Erich Neumann. El libro fue escrito desde el punto de vista de un instructor experimentado. El estilo colegial de la escritura de Gunther es así accesible a nuevos estudiantes, pero gratificante —especialmente después de repetidas lecturas— para los practicantes más experimentados.

Este libro es iluminado e iluminador, y es una adición bienvenida a la literatura pos-Crowleyana. Es claramente merecedor de un lugar en los currículos tanto de la A∴A∴ como de la O.T.O., y merece ser acogido y estudiado cuidadosamente por Thelemitas de todas las convicciones.

HYMENAEUS BETA
Frater Superior, Ordo Templi Orientis

INICIACIÓN
En el Eón del Niño

Libro I

EL VIAJE INTERIOR

Los groseros deben pasar por fuego

— *Liber CCXX*, I:50

A∴A∴

Publicación en Clase B.

Imprimátur
N. Fra: A∴A∴
V. 7°=4□ R.R. et. A.C.

ESQUELETO DE UNA NUEVA VERDAD

Temblad vosotros, O, Pilares del Universo, pues
la Eternidad está en trabajo de parto de un Niño
Terrible; ella dará a luz un universo de Obscuridad,
de donde saltará una chispa que pondrá a su padre
en fuga.

Liber CDXVIII, 30.º Éter, 1900 e.v.

El advenimiento del Eón de Horus y la recepción del Libro de la
Ley en 1904 señalaron el comienzo de un cambio fundamental en la evolución del género humano. El fin de un Eón existente
produce cambios asombrosos en la conciencia. En el mundo seglar,
este tipo de innovación dinámica es conocida como un "cambio de
paradigma." El cambio de paradigma en 1904 fue a Escala Universal, y aquellos que aceptan la Ley de Thelema afirman que fue
iniciado por las Inteligencias que rigen este planeta y su evolución.
Esto anunció el fin de la era del Dios Moribundo y la sustitución de
IAO como la formula central de Iniciación.[1]

El término "Eón" en el simbolismo de Thelema es utilizado para
indicar grandes periodos de tiempo, tradicionalmente considerados
como aproximadamente 2000 años cada uno, que corresponden a
hitos de desarrollo en la historia del género humano.[2] El primero de

---

1   Estos términos son explicados en detalle más adelante en este libro.

2   Estos periodos de 2000 años son determinados por la precesión de los signos
del Zodíaco. Sin embargo, ver capítulo 8 para una discusión completa de este tema.

estos grandes periodos del cual tenemos alguna evidencia se llama el Eón de Isis. Este era el tiempo de las Matriarcas, las grandes Diosas Madres de las cuales Isis puede ser considerada el epítome. El período que lo sucedió es convenientemente llamado el Eón de Osiris, la época de los Dioses Padres que incluyen a Osiris, Jehovah, Jesús y muchos otros. Una característica esencial del Eón de Osiris era la mitología del "Dios Moribundo" y su observancia del sacrificio de sangre. El período en el cual vivimos ahora es conocido como el Eón de Horus, o el Eón del Niño.

La era del Dios Moribundo culminó en el cristianismo, cuyas raíces se encuentran en la filosofía gnóstica. La aparición del gnosticismo fue, según Carl Jung, un resultado de la ley psicológica:

> [El gnosticismo] tuvo que desarrollarse cuando las religiones clásicas se habían vuelto obsoletas. Fue basado sobre la percepción de símbolos arrojados por el proceso inconsciente de individuación que siempre se establece cuando los dominantes colectivos de la vida humana caen en la decadencia. En tales momentos existe un número considerable de individuos que son poseídos por arquetipos de una naturaleza numinosa, que se abren camino hacia la superficie para formar nuevos dominantes. Este estado de posesión se muestra, casi sin excepción, en el hecho de que los poseídos se identifican con los contenidos arquetípicos de su inconsciente, y, debido a que no se dan cuenta de que el papel que se les está imponiendo es el efecto de nuevos contenidos aún por entender, los ejemplifican concretamente en sus propias vidas, convirtiéndose así en profetas y reformadores. . . Así Jesús se convirtió en la imagen tutelar o el amuleto contra los poderes arquetípicos que amenazaban con poseer a todos.[3]

El poder arquetípico que de hecho amenazaba al mundo entero requería nada menos que el descenso al Infierno: el inconsciente del hombre mismo.

A principios del siglo veinte, los dominantes de la vida humana habían caído dramáticamente en decadencia una vez más. El mé-

---

3   Carl Jung, *Psychology and Alchemy*, pp. 35–36.

todo científico, que había florecido a pesar de todos los ataques de la Iglesia, estaba rápidamente remodelando el planeta. El género humano estaba finalmente preparado para el siguiente paso. Este fue iniciado por la transmisión de la Ley de Thelema al género humano. Esta está codificada en el triple Libro de la Ley recibido por Aleister Crowley en El Cairo, Egipto, en 1904 e.v. La génesis de la Ley de Thelema está documentada por Aleister Crowley en su autobiografía y no necesita más comentario en este lugar.[4] Este siguiente paso fue el nacimiento del Eón del Niño, o El Eón de Horus como es comúnmente llamado.[5]

Una diferencia significativa en la caracterización de Jung de los profetas anteriores respecto al Profeta del Nuevo Eón está quizás en el reconocimiento *consciente* de Crowley del papel que le había sido impuesto. Esto fue sin duda necesario para evitar una deificación pervertida del profeta y la consiguiente confusión del hombre con la Palabra que él pronunció.[6]

El foco de este estudio actual es el impacto Iniciático de Thelema, que está singularmente diferenciado de la Ley. La Ley y su interpretación son cuestiones que cada individuo debe determinar privadamente.[7] Las fórmulas de la Iniciación, en la medida en que pueden ser abiertamente reveladas, siempre han sido y siguen siendo generalmente homomórficas y por lo tanto tienen una connotación católica. Las fórmulas presentadas en esta discusión son el sistema Iniciático y las fórmulas de la A∴A∴ en particular, aunque muchos aspectos de lo que será discutido aquí impactan sobre cual-

---

4   Ver Aleister Crowley, *Confesiones de Aleister Crowley*, Parte Tres, "El advenimiento del Eón de Horus."

5   Cabe señalar que la palabra "Horus" no aparece en *Liber CCXX*. Cf. capítulo 8 de este libro.

6   Cf. Frater Perdurabo, *Liber CCCXXXIII. El libro de las mentiras*, capítulo 7, "The Dinosaurs." La opinión de Crowley sobre su propia posible deificación se da en el poema humorístico "The Convert" (Aleister Crowley, *The Winged Beetle*, p. 102).

7   Esto está indicado claramente en el comentario en Clase A de *Liber CCXX*: "Todas las cuestiones de la Ley han de decidirse solo por apelación a mis escritos, cada uno por sí mismo." Ver ΘΕΛΗΜΑ: *The Holy Books of Thelema*, p. 196.

quier sistema directamente involucrado con la evolución Espiritual del género humano.

Ciertas fórmulas y rituales específicos del Eón de Osiris fueron declarados abrogados por Aleister Crowley en su oficio de profeta, siguiendo la advertencia dada a él por Aiwass en *Liber CCXX*, II:5:

> Mirad! los rituales del tiempo antiguo son negros. Que los malos sean desechados; que los buenos sean purgados por el profeta! Entonces este Conocimiento irá correctamente.

Los aspirantes a Thelema deberían prestar especial atención a la distinción entre abrogación y sustitución. Muchas de las doctrinas del antiguo Eón están claramente abrogadas; otras, aunque siguen siendo válidas, han sido sustituidas. Un claro entendimiento de esta distinción es necesario para comprender el Sistema de Iniciación en el Eón del Niño. Para este fin, es necesario examinar las fórmulas que gobernaban el pasado Eón, y específicamente el patrón temático del Dios Moribundo.

El Dios Moribundo

La fórmula del Dios Moribundo se puede encontrar en la mitología de muchas culturas. Las leyendas de Odín, Dionisio, Adonis, Attis, Osiris y Jesús, por nombrar unos pocos, contienen elementos de este tema central. El motivo del dios asesinado y resucitado permanece como uno de los arquetipos más poderosos que han emergido del inconsciente. La aparición de este arquetipo ocurrió con el nacimiento del Eón patriarcal y dio como resultado la convulsión de la estructura mundial entera dominada por la imago de la Gran Madre.

La Madre personificaba la naturaleza con sus incesantes ciclos de Nacimiento, Vida y Muerte. La diosa Madre era la incuestionable guardiana de estos misterios pues todas las cosas procedían de su vientre, eran nutridas a lo largo de la vida, y en la muerte, eran tragadas en el gran vacío sobre el cual ella igualmente reinaba suprema. Los mitos egipcios más antiguos, que existen solo en fragmentos que hacen eco de fuentes más antiguas, son evidencia de este tema. El símbolo de la gran vaca que sostenía el sol y lo llevaba a través de su viaje celestial es una mitología perdida en un tiempo cuando la gran Madre era Todo. El usurpador de su dominio vendría en la forma de un hombre, o dios-hombre, que conquistó su aspecto más temido: la muerte. Él sufría la pérdida de la vida como todos los hombres mortales, pero resucitaba de entre los muertos. En segundo lugar, trajo con su época el conocimiento de otro misterio que derrocó la supremacía de la madre: la acción de la semilla masculina es necesaria para la creación de la vida.

La conexión encontrada entre el dios-hombre resucitado y el renacimiento de la vegetación es igualmente un vínculo arquetípico. Cuando el hombre primitivo disfrutaba de la generosidad de la tierra estaba a la merced de ella; la comida era recogida dondequiera que se encontraba creciendo silvestre. La habilidad de cultivar era desconocida; el alimento de la tierra era simplemente un regalo de la Madre Tierra. El mito de Osiris nos dice que él era el padre de la agricultura. El arado de la tierra y la plantación de la semilla fueron naturalmente asociados con el Padre. Sin embargo, al igual que la imprevisibilidad de la naturaleza misma en amenazar o destruir la cosecha, el sufrimiento padecido por el Padre-Héroe es difícil de separar de su conquista de la muerte. Ambos fueron vistos, inconscientemente, como agentes de la Madre misma.[8] El Héroe mismo era el grano de trigo que caía en la Madre Tierra y brotaba nueva vida. La guadaña que cortaba el grano maduro tenía la forma de la luna creciente.[9]

A medida que nuestro conocimiento de la ciencia aumenta, también lo hacen los límites de nuestros mitos. Uno podría incluso sospechar que el último precede al primero. Es probablemente por esta razón que el cristianismo fundamental alberga odio por la ciencia verdadera. La ciencia del mundo antiguo durante el tiempo de Osiris era rudimentaria en el mejor de los casos y la aparición

---

8 Esto parece ser una expresión de un antagonismo natural en la precesión de las épocas, necesario para generar un quiebre definitivo con los elementos de los dominantes anteriores, considerados hostiles al componente que se está recién desarrollando.

9 La guadaña combina la media luna y la cruz, el emblema de Saturno ♄, por lo tanto, la Gran Madre.

de la nueva cosecha todavía se consideraba un milagro. Esta gente primitiva no sabía que la semilla no perecía en la tierra, sino que solo yacía dormida. Por eso Jesús diría:

> La hora viene en que el Hijo del hombre ha de ser glorificado. De cierto, de cierto os digo, que si el grano de trigo no cae en la tierra y muere, él solo queda; mas si muriere, mucho fruto lleva.[10]

Las doctrinas teológicas de Jesús, el último dios-hombre en la visión del mundo Osiriano, atarían el requisito de sufrimiento a la realización de deidad. Se debe declarar claramente que el concepto de auto-sacrificio no es en todos los casos una idea falsa. En esencia, no hay falla en la teoría de que el individuo puede elegir sacrificarse por el bien mayor del cual él o ella es un componente voluntario.[11] En nuestras sociedades esto es a menudo necesario para garantizar la sobrevivencia. La fuerza de las familias y de naciones enteras está basada en el auto-sacrificio. Es el elemento añadido de proclamar la gloria en el sufrimiento que lo degrada.

Purificación a través del Sufrimiento

La doctrina de la Purificación a través del Sufrimiento es característica del Eón del Dios Moribundo y central en todas las expresiones de su teología, independientemente de los orígenes culturales. Se convertiría en su Ordalía Iniciática central y simbolizaría el logro supremo, la unión con lo divino.

Esta doctrina fue eficientemente resumida en la palabra IAO, la cual es interpretada como Isis-Apofis-Osiris, o Vida-Muerte-Resurrección. En esta fórmula, la vida o la naturaleza es destruida por la catástrofe y restaurada por el dios resucitado, o redentor.

La traición de Set y el posterior asesinato y desmembramiento de Osiris fueron los elementos indispensables de la obra de pasión

---

10   Juan 12, 23–24 (RVA)

11   Por ejemplo, padres amorosos que sacrificarían voluntariamente su vida para salvar a su hijo.

egipcia que culminó en la celebración del dios resucitado. No está claro hasta qué punto el sacerdocio de Egipto consideraba el sufrimiento de Osiris esencial para su divinidad. Los textos antiguos permanecen en silencio sobre este punto. Sin embargo, el mito de Osiris parece ser el de un hombre que fue triunfante a *pesar* de su sufrimiento, en lugar de uno que se convertía en un dios *a través* de su sufrimiento. El mito de Jesús por otro lado es absolutamente claro; vincula el requisito del sufrimiento con la realización de la deidad. En el relato del Nuevo Testamento, cuando Jesús reveló sus planes a sus discípulos, les dijo, "el Hijo del hombre padeciese mucho. ..... y ser muerto, y resucitar después de tres días.[12] Cuando Pedro objetó a la aceptación de su Maestro de este destino, Jesús respondió: "Apártate de mí, Satanás: porque no sabes las cosas que son de Dios, sino las que son de los hombres."[13]

Se dice que el cartel colocado sobre la cabeza de Jesús en la Cruz rezaba: "JESÚS DE NAZARET, REY DE LOS JUDÍOS."[14] Las iniciales de esta frase en latín, I.N.R.I.,[15] combinadas con la forma gnóstica del nombre de Jehovah, IAO, producían la palabra clave del misterio central de la Orden Hermética de la Golden Dawn. Se utilizaba para abrir la Cripta de la Montaña Mística de Abiegnus.[16] La fórmula se da en el Ritual del Adeptus Minor de aquella Orden:

Analicemos la Palabra Clave.
I.N.R.I.
YOD, NUN, RESH, YOD.
Virgo, Isis, Poderosa Madre.
Escorpio, Apofis, Destructor.
Sol, Osiris, Asesinado y Alzado.
Isis, Apofis, Osiris—I. A. O.

---

12 Marcos 8, 31 (RVA).
13 Ibid., 8, 33 (RVA).
14 Juan 19, 19 (RVA)
15 *Iesus Nazarenus Rex Iudeorum.* Cf. Juan 19,19–22.
16 Abiegnus es la Montaña Mística de Iniciación de los Hermanos de la Rosa Cruz. Esto está explicado más completamente en el capítulo 7.

La Cruz del Sufrimiento

+—El Signo de Osiris Asesinado.

L—El Signo del Luto de Isis.

V—El Signo de Tifón y de Apofis.

X—El Signo de Osiris Alzado.

L V X, Lux, La Luz de la Cruz.[17]

Antes de prestar juramento, los candidatos para este Grado eran vestidos con una "Túnica de luto" y envueltos en una "cadena de humildad". Luego eran atados a la "Cruz del Sufrimiento" con lo cual se les decía, "El Símbolo del Sufrimiento es el Símbolo de Fortaleza . . . Si sois crucificados con Cristo, reinaréis también con Él." Un diagrama de la Cruz del Sufrimiento adornaba el pie de lo que pretendía ser el Pastos de Nuestro Padre y Hermano C.R.C.

Aquellos que aspiran a ser Thelemitas deben rechazar completamente el dogma que presenta el auto-sacrificio como un atributo de la rectitud. El símbolo y la función de la Cruz del Sufrimiento

---

17 *The Equinox*, I:3, pp. 211-212.

La Cruz del Sufrimiento al pie del Pastos

es abrogado. No tiene lugar en el simbolismo de Thelema.[18] La fórmula del Dios Moribundo, separada de la glorificación del sufrimiento, no es abrogada. Ha sido asimilada a una comprensión más amplia de la naturaleza y, posteriormente, al psicosoma del género humano.[19]

La Abominación de Desolación

La aparición del Nuevo Eón fue predicha por los videntes y profetas del Eón patriarcal. Sus relatos escritos, aunque corruptos y poco fiables para cualquier análisis histórico, aun así, dan evidencia del terror con el que veían el evento.[20]

---

18   La Cruz del Sufrimiento no debe ser confundida con la Cruz de Themis, la cual equilibra las fuerzas transformadoras dentro de la Esfera del Candidato.

19   En su ensayo bajo anónimo, "La Conferencia Secreta", Crowley afirma esto sin ambigüedad: "La fórmula del Dios Moribundo no ha sido abrogada; ha sido absorbida en una comprensión más completa; por lo tanto, el resultado de cada acción es un niño." (Aleister Crowley, *El corazón del Maestro y otros escritos*, p. 7).

20   El Libro de "Daniel" y El Apocalipsis de "San Juan" son los ejemplos más claros.

Las profecías de Daniel hablan de un día en que uno vendrá y "hará cesar el sacrificio y la ofrenda," y establecerá "la abominación desoladora."[21] Jesús hizo referencia a esta profecía en el Discurso de los Olivos como un signo que confirma el "principio de dolores" y el "fin del mundo."[22]

Desde la perspectiva judía, la Abominación de Desolación se refería a una profecía sobre la profanación del Templo en Jerusalén. Algunos han entendido esto como una referencia a Antíoco Epifanio[23] que profanó el Templo sacrificando animales inmundos sobre el Altar de la Ofrenda Quemada y atreviéndose a entrar en la zona más sacrosanta del templo, el Sanctasanctórum.[24] Los teólogos cristianos fundamentales consideran las acciones de Antíoco Epifanio como un mero presagio del "Anticristo" cuya aparición creen está profetizada en el Libro del Apocalipsis, junto con la "segunda venida de Cristo" y el "tiempo de la tribulación" que señala el fin del mundo.

Los profetas bíblicos de los "viejos tiempos" proclamaban que ellos contemplaban el "fin de los días", y en esto estaban parcialmente en lo correcto. Tuvieron la visión del fin de *su propio* tiempo, cuando el sacrificio sería efectivamente removido del Templo, cuando el sacrificio sería declarado abrogado y la oblación cese.

La demanda de Jehovah de sacrificios sangrientos, ya sean reales o imaginarios, son aborrecibles para cualquier mente racional. Los niños en la escuela dominical se quedan pensando si el padre de Isaac le habría cortado la garganta por el bien de Jehovah si un desafortunado carnero no hubiera enganchado sus cuernos en un matorral cercano. Es un argumento débil decir que el hijo de Abra-

---

21 Cf. Daniel 9,27, 11,31 y 12,11.

22 Cf. Mateo 24,15 El "Discurso de los Olivos," llamado así porque tuvo lugar sobre el Monte de los Olivos, abarca la totalidad de capítulo 24 de Mateo. Otros relatos se dan en Marcos capítulo 13 y Lucas capítulo 21, 7–38. Los cristianos fundamentalistas conectan el texto del Discurso de los Olivos con el Libro de Daniel y el Libro del Apocalipsis como profecías de la segunda venida de Cristo en los "tiempos finales".

23 *Circa* 215–164 a.e.c

24 Cf. I Macabeos I, 10–28

ham era un "tipo" de Cristo, en una larga procesión de corderos simbólicos que presagian la matanza en Gólgota. Es mejor recordar que este es el mismo Dios que esperó a Moisés en la posada para matarlo;[25] un Dios que se deleitaba tanto en derramar la sangre de los primogénitos que asesinó a su propio hijo.[26]

El cordero sacrificado para Jehovah en el Templo de Jerusalén, la sangre del cordero de la primera Pascua hebraica, la crucifixión de Jesús, el "cordero de Dios que quita los pecados del mundo," son todas extensiones de la misma idea y están arraigadas en la doctrina de la Expiación Vicaria.

El rechazo del "pecado original" como primera causa elimina la *raison d'être* de la expiación y la gracia. No se han perpetuado dogmas más deplorables que estos, porque su metástasis ha corrompido el alma del mundo con un podrido cáncer.

Por fin, el Templo del Hombre ha sido limpiado del Sacrificio Sangriento. El Templo de los dioses esclavos está desolado, pues su Dios ha sido destronado.

Hay un significado más profundo de la Abominación de Desolación que es comprendido por los Iniciados. Los aspirantes deberían estudiar cuidadosamente *Liber VII* y *Liber CDXVIII*.

Emblemas de la Muerte

Los emblemas de la muerte siempre han sido prominentes en los mitos de todas las religiones y órdenes espirituales. A menos que el hombre finalmente logre la inmortalidad en la carne, es dudoso que este motivo desaparezca totalmente. Ciertamente la muerte es el gran igualador de los hombres. Es específicamente en el misterio de los emblemas de la muerte que la doctrina del Nuevo Eón difiere drásticamente del Antiguo. Los símbolos de la muerte aún

---

25   Éxodo 4, 24

26   Esto no debe tomarse como un respaldo para la historicidad de todos los relatos escritos de Jesús o Moisés. La falta de una base fáctica no es relevante cuando un mito invade la psique.

son visibles a través del sistema Iniciático del Nuevo Eón y todavía sirven como poderosos vehículos para los misterios del cambio y de la transformación. La diferencia vital para aquellos que aceptan Thelema yace en dos puntos distintos:

1) La muerte mística ya no significa el Logro Supremo.
2) La supersticiosa y vil doctrina de La Segunda Muerte es repudiada.

El cristianismo está construido en última instancia sobre un miedo arquetípico a la oscuridad. En el hombre primitivo, el límite entre el inconsciente y la conciencia era muy tenue. A medida que la conciencia comenzó a alborear, la brecha entre el estado inconsciente y el estado auto-consciente se amplió lentamente. La lucha por volverse sensible se convirtió en una batalla entre la oscuridad y la luz, entre la conciencia y el olvido de la naturaleza animal. El hombre primitivo vacilaba entre dos mundos; las facultades cognitivas infantiles eran dominadas por la constante atracción del vacío, y repetidamente sumergidas por la inundación arquetípica que resurgía sin previo aviso. Por otro lado, cada regreso sucesivo al estado de vigilia reforzaba la voluntad de ser consciente. La facultad de razonamiento que estaba evolucionando se identificaba con el mundo de la luz y la conciencia; la inconciencia se asociaba con la oscuridad, el sueño y la muerte. El reino del dormir y de los sueños era un mundo arquetípico habitado por seres transpersonales, dioses y demonios. En el mundo real del hombre primitivo, la noche era el tiempo de mayor peligro de los depredadores. Al igual que los lapsos hacia la inconciencia, la oscuridad volvía y se tragaba la luz. La noche era el enemigo de la luz, la visión, el calor, la seguridad y la protección.

Jung ha demostrado empíricamente que heredamos componentes arquetípicos de nuestros ancestros.[27] No es para nada raro que los niños pequeños sufran un miedo inexplicable a la oscuridad. Incluso en un hogar de ambiente seguro y cariñoso, nutrido por padres amorosos, el niño más equilibrado puede experimentar un

---

27   Cf. Carl Jung, *Archetypes of the Collective Unconscious*.

miedo irracional en una habitación oscura. Tal comportamiento
es un tipo de resurgimiento atávico. Es predominante en los niños
porque el desarrollo de un niño es un microcosmos del patrón evo-
lutivo del *Homo Sapiens*. Para el adulto normal, la madurez emocional acaba venciendo los temores infantiles de la oscuridad y lo
desconocido. Sin embargo, el *gran desconocido* está más allá de
nuestros temores infantiles y más allá de los medios limitados de
la razón para conquistarlo. El gran desconocido es la oscuridad de
la muerte. Después de siglos de evolución, todavía temblamos ante
el aspecto de "la Parca". Buscamos prolongar la vida a cualquier
costo, con todos los medios a nuestra disposición.[28]

El cristianismo ha prosperado por el temor primordial del mundo, pues ha promulgado la mentira de que en el gran desconocido
hay condenación eterna para aquellos que rechazan a Jesús como el
hijo de Dios y salvador del mundo. A los creyentes se les promete un
Paraíso eterno donde nunca oscurecerá.[29] El apóstol Pablo escribió
a los cristianos en Colosas, "Dando gracias al Padre que nos hizo
aptos para participar de la suerte de los santos en luz: Que nos ha
librado de la potestad de las tinieblas . . . ."[30] "Los incrédulos están
amenazados con que "serán echados á las tinieblas de afuera . . ."[31]

Las "tinieblas de afuera" o el Infierno es la Segunda Muerte, la
muerte del alma.[32] La persistencia de esta doctrina grotesca desafía
el análisis racional, pero da amplia evidencia de la herencia que
hemos recibido de nuestros antepasados. Intelectualmente parece
absurdo que una especie que ha evolucionado desde el limo prehistórico hasta la exploración del espacio exterior siga promul-
gando *conscientemente* doctrinas de una terrible ultratumba con un
lago de fuego y azufre supervisado por el Hombre del Saco. Aquellos

---

28 Este es un aspecto de la Samyojana llamada Ruparaga, "deseo de inmortalidad
corporal" atribuido a Binah. Cf. *Liber 777*, Columna CXIX.

29 "Y allí no habrá más noche; y no tienen necesidad de lumbre de antorcha, ni de
lumbre de sol: porque el Señor Dios los alumbrará: y reinarán para siempre jamás."
(Apocalipsis 22, 5 RVA).

30 Colosenses 1, 12–13 (RVA).

31 Mateo 8, 12 (RVA).

32 Apocalipsis 20, 14 y 21, 8.

que se adhieren a tales creencias generalmente no son participantes voluntarios en una mentira consciente. Más bien, están en las garras de un espíritu mentiroso, es decir, un arquetipo.[33]

El destino de esta doctrina es irónicamente proclamado por la voz de Jehovah en *Liber CDXVIII*:

> Ay de mí, que soy arrojado de mi puesto por el poder del nuevo Eón ... Muchos espíritus mentirosos yo he mandado al mundo para que mi Eón pudiera ser establecido, y ellos serán todos derrocados.[34]

Un Universo de Oscuridad

Como hemos observado, una de las características principales del Eón de Osiris era una preferencia por los símbolos de luz. La fórmula de L.V.X.[35] a través de la cual los adeptos expresaron su comprensión de los hechos de la naturaleza y los medios para superarlos, aunque eficaz, representa una percepción incompleta del universo. Nuestra representación de la Deidad como solar ya no requiere el antagonismo entre luz y noche como premisa básica. Solo la perspectiva geocéntrica considera que el sol "sale" o "se pone" y a la tierra como el punto fijo. El sol brilla igual de intenso a medianoche en el otro lado del planeta. La puesta del sol es solo un "acontecimiento" en la tierra; desde el punto de vista del sol no habría tal percepción.

Nuestros antepasados, temiendo que el sol no regresara, idearon rituales elaborados para asegurar el regreso del sol al amanecer. A diferencia de nuestros antepasados primitivos, nosotros no

---

33 Hay notables excepciones a esta visión caritativa, como el Papa León X, que supuestamente dijo, "Quantum nobis prodest haec fabula Christi!" ("¡Cuán provechosa nos ha resultado esta fábula de Jesucristo!")

34 *Liber CDXVIII*, 16.º Éter.

35 Derivado del latín *Lux*, "Luz." La fórmula L.V.X. significa "La Luz de la Cruz." Ver *777 and Other Qabalistic Writings of Aleister Crowley*, "Gematria," p. 23.

tememos que el sol haya sido devorado por alguna ctónica criatura de la oscuridad. Asimismo, desde la perspectiva del sol, solo hay distantes puntos de luz de otras estrellas. El sol está perpetuamente en la oscuridad.

La psicología analítica nos ha enseñado que los aspectos oscuros de la psique humana no pueden ser ignorados sin peligro, porque un grave desequilibrio invita a la intrusión de elementos adversos, amenazando con una desintegración de la personalidad y enfermedad mental. Aquellos que busquen practicar *Magick* e ignoren este consejo están coqueteando con desastre. Ciertas amonestaciones, como las siguientes de *Liber Tzaddi*, tienen una muy práctica interpretación:

> Muchos han surgido, siendo sabios. Ellos han dicho "Buscad la Imagen luciente en el sitio siempre dorado, y uníos con Ella."
>
> Muchos han surgido, siendo alocados. Ellos han dicho, "Inclinaos al mundo obscuramente espléndido, y casaos con esa Ciega Criatura del Limo."
>
> Yo, que estoy allende Sabiduría y Locura, surjo y os digo: lograd ambas bodas! Uníos con ambos!
>
> Cuidado, cuidado, yo digo, no sea que vosotros vayáis tras el uno y perdáis el otro!
>
> Mis adeptos se yerguen rectos; su cabeza por encima de los cielos, sus pies por debajo de los infiernos.[36]

En este Eón, la fórmula central no es L.V.X., sino N.O.X.[37] Mucho más que el balance u opuesto de L.V.X., la fórmula de N.O.X. es la de la Madre (ה), mientras la de L.V.X. era la del Hijo (ו). La primera una vez abría la Cripta de Abiegnus; la segunda abre las Puertas de la Ciudad de Las Pirámides.[38]

---

36 *Liber XC*, 36–40

37 Latín para "Noche," del griego *Νύξ*. Las letras N.O.X. son interpretadas como "Night Of Pan" (Noche de Pan). Cf. *El libro de las mentiras*, capítulos 1, 11 & 29.

38 La Ciudad de las Pirámides es un nombre místico para la Sephira Binah. Cf. *Liber CDXVIII*, 12.º Éter. Es el Templo de Iniciación y la Tumba para los Maestros del Templo. Ver también *The Vision & The Voice with Commentary and Other*

Nótese el uso del pretérito en el caso anterior, pues L.V.X. ya no abrirá la Cripta de la Montaña de los Adeptos; ahora abre las Cuatro Puertas al Palacio que está al pie de esa Montaña. Ya no es la palabra del Hijo Tiphereth, sino de la Hija Malkuth que limita con las Cáscaras. La fórmula I.N.R.I. no tiene relación con esta L.V.X. y es útil principalmente para aquellos que aún no han aceptado la Ley de Thelema.[39] Todo esto es muy técnico y de interés solo para los aspirantes de la A∴A∴.[40]

El Dios Negro

En el esquema de la Iniciación el descubrimiento de la constitución del hombre es esencialmente la piedra angular de nuestra tarea. A esto podríamos agregar: ¿Quiénes son los dioses para que debamos ser conscientes de ellos? El Iniciado buscará respuestas a ambas cuestiones. Esto es sabio ya que ambas serán impuestas sobre él o ella a su debido tiempo.

Con este fin, los Oficiantes en los Rituales de Iniciación utilizan efectivamente una forma de Ritual Dramático en el que Ellos y el Candidato componen los *Dramatis Personae*.

Anteriormente, en el sistema Iniciático de la antigua Orden Hermética de la Golden Dawn, el Candidato representaba a Asar, u Osiris.[41] El Hierofante, o el Iniciador que ocupaba el Asiento de Ra en el Este, era también una forma de Osiris.[42] Con el Equinoccio

---

Papers. The Equinox, IV:2, p. 173, nota 1. Ver también la discusión en capítulo 7 de este libro bajo el título de "Transmutaciones".

39   Cf. *El libro de Thoth*, p. 276: "Esta doctrina es para los hermanos más débiles, para aquellos que están sufriendo de la ilusión de imperfección; les capacita para hacer su camino a la Luz ilimitable."

40   Para una discusión más completa, ver capítulo 7.

41   Siguiendo la ortografía de *Liber CCXX*, "Asar" es la forma anglicanizada del egipcio 𓊨𓁹 *Wsir* "Osiris" (R.O. Faulkner, *A Concise Dictionary of Middle Egyptian*, p. 68).

42   Este Ritual está resumido en *Equinox*, I:2.

de los Dioses en 1904 este escenario cambió.

El Hierofante es ahora una forma de Hoor[43]; esto ha sido revelado. Basado en la antigua sinonimia de Iniciado e Iniciador uno podría esperar que el Candidato sea Horus. Sin embargo, en el Eón de Horus el Candidato es *inicialmente* Asar una vez más.[44] El objetivo final de la Iniciación, que no ha cambiado, es la unión del Candidato con el Iniciador.

> No Isis mi madre, ni Osiris mi yo; sino el incestuoso Horus entregado a Tifón, así sea yo![45]

Uno debe adquirir conocimiento de Osiris si uno quiere entender la fórmula de Horus. En palabras de Crowley, "la creencia del hombre de que él es mortal (Osiris) debe ceder a la conciencia de que él es el Niño Coronado (Horus)."[46] Esto es por supuesto una gran simplificación de una doctrina muy formidable que solo se vuelve lúcida con la recepción de la Gnosis.

Crowley ha escrito que una de las grandes revelaciones a los Iniciados Egipcios era que "Osiris es un dios negro".[47]

La edición de 1894 de *Lucifer*, la revista de la Sociedad Teosófica, contenía una carta inédita de Eliphas Levi fechada el 26 de enero de 1862 que decía, "Es por lo tanto que la última palabra de

---

43   De nuevo, siguiendo la ortografía de *Liber CCXX*, "Hoor" es una forma anglicanizada de la palabra egipcia ⟋ *Ḥr*, "Horus." (Faulkner, *Concise Dict. of Middle Egyptian*, p. 173) Cf. Copto ϩⲱⲣ (W.E. Crum, *A Coptic Dictionary*, p. 697b).

44   Los estudiantes no deben ser confundidos por el comentario de Crowley a *Liber Samekh* (*Magick. Libro 4*, Partes I–IV, p. 523) donde se dice, "en el nuevo Eón el Hierofante es Horus . . . por lo tanto el candidato será Horus también." *Liber Samekh* pertenece al Grado de Adeptus Minor (afuera), y como tal, a la Orden Interna de la A∴A∴. Basta decir que el candidato *será* Horus, con el tiempo, si él o ella perdura.

45   *Liber VII*, I:30

46   Comentario a *Liber LXV*, IV:26. (*Commentaries to the Holy Books and Other Papers. The Equinox*, IV:1, p. 148).

47   Crowley, *El libro de Thoth*, p. 118.

los misterios antiguos era esta, susurrada rápidamente en el oído del neófito: 'Osiris es un dios negro,' y esto se aplica a todo Dios antropomórfico."

La frase "Osiris es un Dios Negro" también apareció en *Mysteries of Magic* de A.E. Waite en 1886 en un pasaje que hace eco del pensamiento de Eliphas Levi: "Las ordalías de la iniciación egipcia tenían lugar en un vasto templo subterráneo; de ahí que los neófitos que cedieron al miedo nunca volvieron, pero los adeptos que salieron victoriosos recibieron la llave de todos los misterios religiosos, y la primera gran revelación, entregada a través de un rápido susurro, estaba contenida en la fórmula: Osiris es un Dios Negro. Es decir, el Dios adorado por los profanos no es sino la sombra del verdadero Dios.[48]

La afirmación de que "Osiris es un dios negro" fue citada por Helena Blavatsky e interpretada de la misma manera: "Estas eran las palabras pronunciadas en 'susurro bajo' en la Iniciación en Egipto, porque Osiris Noúmeno es oscuridad para el mortal."[49]

Si nos permitimos la idea de que estas palabras realmente fueron pronunciadas a los candidatos en los misterios egipcios, deberíamos considerar cómo podrían haberlas interpretado. Sin duda, estas palabras habrían sido altamente evocadoras ya que los egipcios entendían a Osiris de una manera muy personal. Consideraron a todos los hombres y mujeres como Osiris.[50]

---

48   A. E. Waite, *Mysteries of Magic*, p. 393.

49   H.P. Blavatsky, *The Secret Doctrine*, Volume 3, p. 230. El controvertido tercer volumen de *La Doctrina Secreta* apareció seis años después de la muerte de Blavatsky, con una introducción de Annie Besant. El Dr. Richard Kaczynski, que ayudó a complementar la investigación sobre el "Osiris negro", atribuye la primera aparición conocida de esta frase a Eliphas Levi. En una carta al autor, Kaczynski concluye: "podemos rastrear con seguridad esta frase a 1860, quince años antes de la fundación de la Sociedad Teosófica y veintiocho años antes de *La doctrina secreta*." (carta personal, 4 de abril de 2008 e.v.)

50   Los primeros ejemplos de llamar al difunto "Osiris" se pueden encontrar en el Imperio Antiguo. En el Imperio Medio, el nombre aparece prefijado al nombre de las élites fallecidas en los Textos de los Sarcófagos. Aparte de los textos mortuorios, donde el difunto, independientemente del sexo, siempre es llamado "Osiris", más evidencia de esto se puede encontrar en la tumba de Nefertari en Tebas de la

Para los propios egipcios, el misterio de Osiris tenía muchos rostros, uno de los cuales era que Él era Egipto, y su pueblo era el pueblo de ▬🜍 *Kmt*, Khem, "la Tierra Negra."[51] El fértil y negro suelo de Egipto era depositado por el río Nilo con cada inundación anual, transformando un desierto seco y sin vida en tierra fértil y arable. Para Egipto, esta era la diferencia entre una cosecha abundante o hambre ubicua; era el regalo de la vida en lugar de la muerte. Para un Iniciado egipcio, esto habría sido la asociación inmediata con la revelación de que Osiris era un Dios Negro.

Asimismo, dentro de estas misteriosas palabras vemos un mensaje muy distinto que el de un dios que es "oscuridad para el mortal". Nosotros somos Osiris. Debemos descubrir aquello dentro de nosotros mismos que es la semilla de la panacea curativa, el *Summum Bonum*. Por lo tanto, si anhelamos las alturas, primero debemos explorar las profundidades; si buscamos la luz, primero debemos caminar en la oscuridad, porque esa semilla yace dormida en los campos de la noche.

El misterio esencial, que sigue siendo tan viable hoy como lo era hace siglos, sigue oculto en esta frase: Osiris es un Dios Negro.

Las revelaciones del Eón de Horus son la divulgación de la naturaleza de Osiris y la transmutación de la Primera Materia en la Substancia Arcana. La materia prima de la Obra ha cambiado poco, pero el catalizador transformativo es un Vino Nuevo y la Piedra del Sabio es una Piedra Negra. Osiris es un Dios Negro, y no hay Dios sino el Hombre.[52]

18.ª Dinastía. Las imágenes de Osiris pintadas en las paredes de la tumba tienen una añadidura singular: el cinturón o cinto de una deidad femenina. Este Osiris era claramente una mujer.

51 ▬🜍 Kmt, "la Tierra Negra" i.e. "Egipto." R.O. Faulkner, *A Concise Dictionary of Middle Egyptian*, p. 286. "Khem" sigue la ortografía de los *Libros Sagrados*. Cf. *Liber LXV*, 5,44 y 5,52. Los egiptólogos modernos lo traducen como "Kemet."

52 En *Liber CDXVIII*, 19.º Éter, Frater Perdurabo oyó un grito, "repentino y tremendo, absolutamente anonadador, frío y brutal: ¡Osiris era un dios negro!" En *La Visión y la Voz*, esta frase se refiere a la doctrina del hombre (Osiris) convirtiéndose en uno con la Madre (Binah), y esto presagia la aniquilación del ego individual.

Y yo vi por encima de mí un Vasto Brazo extendido hacia abajo, obscuro y terrible, y una voz clamó: YO SOY ETERNIDAD.

Y surgió un gran clamor mezclado: "No! no! no! Todo está cambiado; todo está confundido; nada está ordenado; el blanco está manchado de sangre: el negro es besado por el Cristo! Retorna! Retorna! Es un nuevo caos lo que tú encuentras aquí: caos para ti: para nosotros es el esqueleto de una Nueva Verdad![53]

Magullando la Cabeza del Dragón

Cuando estaba en México cuatro años antes del Equinoccio de los Dioses que tuvo lugar en 1904, Frater Perdurabo exploró los 30.º y 29.º Éteres de las Atalayas del Universo. Las Visiones que recibió en esa fecha temprana, aunque completamente más allá de su comprensión racional, contenían profecías impactantes que indicaban que el final de la Era de Osiris estaba cerca. Más que esto, contenían los primeros indicios de una modulación trascendental en el desarrollo del género humano:

Él habló: Está finalizado! Mi madre se ha desvelado!

Mi hermana se ha violado a sí misma! La vida de las cosas ha revelado su Misterio. La obra de la Luna está hecha! El movimiento ha terminado para siempre!

Cortadas están las alas del águila: pero mis Hombros no han perdido su fuerza.

Yo oí una Gran Voz desde arriba clamando: Tú mientes! Pues lo Volátil a sí mismo ha fijado sin duda; pero se ha alzado por encima de tu vista. El Mundo está desierto: pero las Moradas de la Casa de mi Padre están pobladas; y Su Trono está incrustado de Brillantes Estrellas blancas, un lustre de gemas claras.[54]

---

53 *Liber CDXVIII*, 29.º Éter.

54 Ibid.

"Fijar lo Volátil" es terminología Alquímica para lo que podemos llamar en términos simples el logro o realización de la meta espiritual.[55] Los alquimistas comúnmente expresaron su método para lograr esto en el aforismo *Solve et Coagula*; o Análisis y Síntesis.[56] El Espíritu estaba representado generalmente como un águila o alguna otra ave; el vuelo del ave indicaba la "volatilidad" de la materia. La fijación era representada a menudo por empalamiento con clavos o una espada.[57] El corte de las alas del águila indica lo mismo pues priva al ave del vuelo, causando así la fijación.[58]

En esta cita de *La Visión y la Voz*, el primero que habla es el viejo dios del oeste, Osiris o Jesús, que clama contra los cambios que traerá el Nuevo Eón. Ve la develación de su madre (Binah) y el pasar de su hermana (Malkuth) de virgen a mujer. Admitiendo que lo Volátil ha sido fijado por fin, él todavía reclama la fuerza del toro (el Hierofante), pues todavía no se da cuenta de que su tiempo está a punto de terminar.

El Nuevo Eón cambió completamente las fórmulas de la Iniciación Suprema, pues ha "fijado lo Volátil" sobre el gran desierto que es el Abismo. Anteriormente el dogma de las Sephiroth sobre el Abismo era una construcción intelectual, aunque era informado por Neshamah.[59] No había ningún método de instrucción para

---

55　Esto es por supuesto solo parte del proceso entero. Lo Fijo debe primero hacerse Volátil, luego lo Volátil debe ser Fijado.

56　O completo, *Solvite corpora et coagulate spiritum*, "Disuelvan el cuerpo y coagulen el espíritu."

57　Cf. *Speculum veritatis* f.9 & 10. Las ilustraciones se han reproducido en *Alchemy The Secret Art* por Stanislas Klossowski de Rola. La materia volátil también era representada ocasionalmente como una serpiente.

58　Un paralelo a este simbolismo se puede encontrar en el *Ripley Scrowle* (siglo XVI) que representa un ave con la cabeza de un Rey devorando sus propias plumas. La inscripción dice: "El ave de Hermes es mi nombre, Comiendo mis alas para domesticarme."

59　La Intuición. Neshamah, junto con Chiah (Voluntad) y Yechidah (la Chispa de Deidad), forma la trinidad que representa los aspectos más altos de la naturaleza humana. Estos tres están por encima del Abismo, por lo tanto, son componentes inconscientes de la psique humana.

cruzar esta gran brecha que separa lo Ideal y lo Real. De hecho, los sistemas Osirianos no tenían ningún concepto de "cruzar" el Abismo. La prueba de esto se puede encontrar en el simbolismo del hexagrama planetario de la naturaleza.

El punto superior está en Daath,[60] la Sephira "falsa", a la que se atribuye el planeta Saturno en el diagrama. La atribución correcta de Saturno, sin embargo, es Binah; Daath no existe en el Árbol de la Vida. Es solamente un constructo del Ruach[61] o la facultad Intelectual. En el análisis final, Daath se dispersa en el polvo del Abismo, convirtiéndose en fragmentos sin sentido de la idea inconexa. Algunos adeptos de los viejos tiempos proclamaron que Daath era el resultado de la unión de Chokmah y Binah; es meramente el Bastardo de la Esvástica.[62]

En la práctica el culto de Jehovah/Jesús ni siquiera alcanzó a Daath, o siquiera a Chesed. El "gran padre" de su religión era meramente una falsa imagen de la Díada (Chokmah) reflejado en la Sephira de Netzach.[63]

---

60 Hebreo דעת "conocimiento," *Gesenius' Hebrew-Chaldee Lexicon to the Old Testament Scriptures*, p. 205.

61 Hebreo רוח, literalmente "aire, aliento" por eso "espíritu." Cf. *Gesenius' Hebrew-Chaldee Lexicon to the Old Testament Scriptures*, pp. 760–761.

62 La Esvástica aquí significa Kether, la 1.ª Sephira. La letra hebrea Aleph, que tiene el valor 1, es por la forma la Esvástica, que significa El *Rashith ha Gilgalim*, o Primer Movimiento, que fue la primera aparición del "Mal" ya que interrumpió la perfección del Cero. Fue el "Mal del Comienzo." El Conocimiento, o Daath, no es el Hijo de la Sabiduría y la Comprensión, sino que es meramente una falsa imagen de la Unidad de Kether la Corona. Tras el análisis, se revela que es una mónada falsa que se desmenuza en el polvo del Abismo. Cf. *Liber CDXVIII*, 3.ᵉʳ Éter.

63 De ahí la degeneración predecible en el sentimentalismo burdo y falsas proclamaciones de amar al prójimo. El nombre de Venus en el mundo de Assiah es נוגה, al que se atribuye el metal Cobre, que tradicionalmente denota esplendor externo, pero corrupción interna.

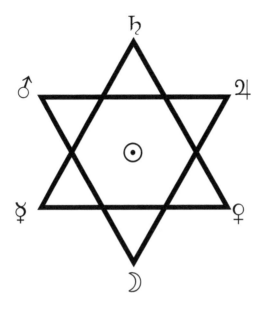

El Hexagrama de la Naturaleza

Los Qabalistas inspirados se dieron cuenta de que existía una dicotomía en la constitución espiritual del hombre, y de que esta separación entre lo Ideal y lo Real apareció como un *impasse* absoluto. La representación de esta distinción entre lo Ideal (lo Divino) y lo Real (lo Humano) está contenida en la doctrina del Abismo. Lo Ideal está representado por la Triada Superna en el Árbol de la Vida; lo Real por las siete Sephiroth inferiores. Entre las Sephiroth inferiores y la Triada Superna, el gran Abismo bosteza como una fisura aparentemente infranqueable en el alma humana. Ellos expresaron esta doctrina a través de la interpretación de la caída de Adán y Eva y su expulsión del Jardín del Edén.

Según las doctrinas de la Qabalah Dogmática enseñadas en la Golden Dawn, el Árbol de la Vida fue quebrado por la caída de Adán y Eva. El Gran Dragón levantó su cabeza más allá de las siete Sephiroth inferiores hasta los pies de Aima Elohim, buscando entrar en el Edén Superno. Al hacerlo, profanó los Cuatro Ríos que salían del Edén. Para evitar la violación del Jardín, Tetragrammaton Elohim colocó las cuatro letras יהוה (los Querubines) y la Espada

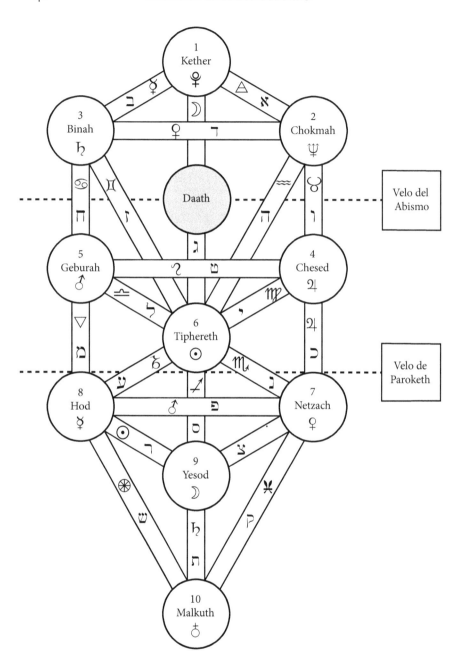

El Árbol de la Vida

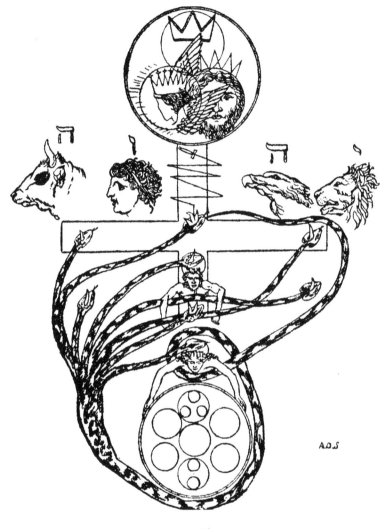

La Caída

Flamígera en la Puerta Oriental del Edén para guardar el camino del Árbol de la Vida. Así Adán (el hombre) fue separado de su patrimonio santo, maldecido a trabajar sobre la Tierra.[64]

---

64 Cf. Génesis 3,7–24 y el Ritual del Philosophus de la antigua G.D. en *Equinox*, I:3, p. 275–288.

No nos preocupan aquí las especulaciones diseñadas para explicar por qué existe tal abismo entre las Supernas y las Sephiroth inferiores. Para el propósito de este estudio es suficiente que haya un Abismo, un límite más allá de los medios limitados del intelecto. Por formidable que sea, el Abismo ya no es infranqueable. Crowley consideró la enseñanza al género humano del método de cruzar el Abismo uno de sus propósitos principales. Sus instrucciones en este asunto provinieron directamente de los Jefes Secretos de la Tercera Orden:

> Era esencial que aprendiera la técnica de cruzar el Abismo con absoluta minuciosidad, porque tenían en mente confiarme la tarea de enseñar a otros exactamente cómo hacerlo.[65]

El estudiante principiante de las obras de Crowley encontrará innumerables referencias que discuten la difícil doctrina del Abismo. Ciertos Libros Sagrados, *Liber VII* en particular, presentan el punto de vista del Iniciado.

Puede parecer extraño a los no iniciados que tal metodología avanzada sea presentada al principiante, cuando este logro es "solitario y lejano", y requiere las disciplinas, dedicación y devoción de una vida. Esto no es capricho, o una pantalla, sino una revelación que es a la vez una promesa y una advertencia. Que todos aquellos que buscan seguir el camino de nuestro Sendero presten atención:

> Por ello yo os encargo que vosotros vengáis a mí en el Comienzo; pues si vosotros dais sino un paso en este Sendero, vosotros debéis llegar inevitablemente al fin de él.
>
> *Liber CLVI, 19*

---

65   Crowley, *Las confesiones de Aleister Crowley*, p. 513.

CAPÍTULO 2

EL DESPERTAR

Este pasaje era todo fuego y flamas y estaba lleno de ataúdes. Había un Ángel soplando muy fuerte en una trompeta, y gente saliendo de los ataúdes. Mi Príncipe Azul dijo: "La mayoría de la gente nunca se despierta por nada menos."

El mundo despierto

La experiencia iniciática central del Eón del Niño no es catastrófica. A diferencia del Eón anterior, la Muerte no forma el punto crucial de la participación mística. El modelo de desarrollo de los Iniciados ahora está basado en la fórmula del Niño. En el Eón de Osiris, el Triunfo XX del Tarot era representado como el Juicio Final con la resurrección de los muertos. Esta antigua forma de la Carta fue influenciada por 1 Corintios 15,51 y 52. "Todos ciertamente no dormiremos, mas todos seremos transformados, En un momento, en un abrir de ojo, á la final trompeta; porque será tocada la trompeta, y los muertos serán levantados sin corrupción. . . . " En contraste, el Tarot de Thelema muestra la Estela de Revelación. En la parte inferior de la carta la letra ש sugiere una flor, compuesta por tres individuos creciendo a la luz de la nueva Ley. La palabra "neófito" refuerza este simbolismo, porque se deriva del griego Νεοφυτος ("recién plantado").

Las fórmulas de Horus podrían a primera vista sugerir un desarrollo constante que comienza con el nacimiento del Niño y después siguiendo el ciclo de la vida. Esta impresión es falsa y ahí yace un Misterio.

Cinco Operaciones Primarias sobre la Prima Materia

El Misterio de lo Averso

Aunque la progresión del Iniciado en el Nuevo Eón emula la de un niño, el punto inicial no es el del nacimiento, ni siquiera la concepción. En una fórmula así compuesta el final de esa progresión sería la muerte. Por el contrario, el motivo de la muerte mística es negado:

Atu XX El Eón—Tarot de Thoth

Mirad! dónde están ahora la obscuridad y el terror y la lamentación? Pues vosotros nacéis al nuevo Eón; vosotros no sufriréis muerte.[1]

Por otro lado, no es un error proclamar *Mors Janua Vitae*,[2] ni es una paradoja. Todas las fórmulas de Horus son Misterios de lo Averso, al menos desde el punto de vista de debajo del Abismo. Cualquier paradoja aparente se resuelve en la práctica solo con la re-constelación de la psique del aspirante.

El Iniciado no sigue un sendero que conduce desde la concepción o el nacimiento hasta la muerte; el sendero conduce *desde* el reino de los muertos. Es el individuo no iniciado el que está espiritualmente muerto, enterrado en la basura de las Qliphoth en la "vieja tierra gris".

Comenzando como un muerto, la primera meta del buscador es la resurrección de una muerte que el mundo llama vida, revirtiendo así la Rueda para convertirse en el Niño y volver a entrar en el vientre de la Madre.

Se debe recordar que Osiris es el Señor de los muertos.

El Sueño de la Muerte

La ordalía inicial del candidato puede ser comparada con el despertar de un durmiente. La llamada a despertar de este sueño se describe en *Liber LXV*, capítulo II, versículo 55:

> Entonces que despierte el Fin. Largo tiempo has dormido tú, O, gran Dios Término! Largos años has esperado tú al final de la ciudad y las calzadas de esta.
>
> Despierta Tú! no esperes más!

---

1   *Liber CDXVIII*, 22.º Éter.

2   "La muerte es la puerta de la vida."

Término [Terminus] es un nombre para la chispa creativa de la Voluntad (Chiah) que yace durmiendo más allá del Nephesh[3] y más allá del Ruach.[4] El candidato a la Iniciación está aislado de las aspiraciones superiores, dormido en la Naturaleza (Isis) como el Osiris muerto. La fábula de Lázaro es esta misma doctrina hecha literal:

Lázaro nuestro amigo duerme; mas voy á despertarle del sueño.[5]

Para despertar la Voluntad dormida, el candidato debe primero ser llevado a una concienciación de esa condición de torpor para así poder escuchar la trompeta de Israfel, aquella llamada a despertar que viene del Santo Ángel Guardián.

Yo aguardo el despertar! La convocatoria a lo alto Del Señor Adonai, del Señor Adonai![6]

Sin embargo, no basta con escuchar el llamado a asumir la Gran Obra. Desde el principio el trabajo debe ser asumido antes de que las recompensas puedan ser recogidas. Si los iniciados han de resucitar de entre los muertos, deben remover la piedra de la tumba por sus propios esfuerzos.[7]

Este llamado normalmente no se percibe en ningún sentido consciente. Las facultades intuitivas del principiante no están desarrolladas lo suficiente como para distinguir las agitaciones sutiles del Espíritu del aleteo del ego. Al principio, tales juicios no tienen ninguna consecuencia. El resultado de las Ordalías que se deben pasar dividirá limpiamente la intención sincera del interés pasajero.

---

3   El "final de la ciudad" es el Nephesh, la agregación de los instintos referidos a Malkuth. A veces se llama el "alma animal."

4   La mente humana ("la ciudad") y los pensamientos ("las calzadas de esta").

5   Juan 11,11 (RVA).

6   *Liber LXV*, I:1.

7   Marta, la hermana de Lázaro, se opuso a remover la piedra de la tumba diciendo, "Señor, hiede ya". De esto vemos que la historia de Lázaro es una parábola del Probacionista.

Estas Ordalías son administradas por los Verdaderos Iniciadores, los Jefes Secretos de la Tercera Orden, y no por sus representantes humanos, y son adecuadas para recoger el trigo de la paja.[8] En el Sistema de la A∴A∴, el buscador debe primero satisfacer los requisitos del Grado de Estudiante incluso antes de ser admitido como un Probacionista. Cualquier persona que satisfaga estos requisitos es recibida. Como está escrito: "¿Quién puede decir qué día florecerá una flor?"[9] Por otro lado, nadie es alentado o invitado a seguir este camino. Crowley advirtió a Frater Achad,

> No es todo Hombre el que está llamado a la sublime Tarea de la A∴A∴, donde debe dominar a conciencia todo Detalle de la Gran Obra, de forma que pueda a su debido Tiempo cumplirla no solo para sí mismo, sino para todos los que están ligados a él. Hay muchísimos para quienes en sus Encarnaciones presentes esta Gran Obra puede ser imposible; puesto que su Obra señalada puede ser en Saldar alguna Deuda Mágica, o en Ajuste de algún Balance, o en Cumplimiento de algún Defecto. Como está escrito: *Suum Cuique*.[10]

El Falo de Asar

Mientras aspiramos a las alturas de la experiencia Espiritual, todavía estamos atados por las limitaciones de la carne. Es en la búsqueda del equilibrio en esta dicotomía que el estudiante comienza el proceso de reconciliación que finalmente produce la experiencia transformadora de la Iniciación.[11]

---

8   Sería un gran abuso de confianza que un Instructor de la A∴A∴ imponga conscientemente una Ordalía a cualquier Candidato. Las Ordalías ocurren naturalmente en el curso de los acontecimientos diarios.

9   *Liber CDXVIII*, 13.º Éter.

10   *Liber Aleph*, p. 1.

11   El estudio de la Lógica considera una dicotomía como una división que representa dos grupos mutuamente excluyentes. Para el Iniciado, lo Humano y lo Divino no son mutuamente excluyentes, sino inherentemente inclusivos a la experiencia

Yo estoy vestido con el cuerpo de carne; yo soy uno con el Dios Eterno y Omnipotente.

Entonces dijo Adonai: Tú tienes la Cabeza del Halcón, y tu Falo es el Falo de Asar. Tú conoces el blanco, y tú conoces el negro, y tú conoces que estos son uno. Pero por qué buscas tú el conocimiento de su equivalencia?

Y él dijo: Para que mi Obra pueda ser recta.[12]

En la historia de Isis y Osiris Plutarco nos dice que el Falo de Asar, que fue cortado por Set, se perdió y nunca se encontró, porque fue comido por tres peces, uno de los cuales era el Oxyrynchus.[13] En jeroglíficos egipcios, la palabra para Oxyrynchus es ⳰Ɪ⟜ ḫȝt. La misma palabra escrita como ꞁ⟡ ḫȝt, significa "cadáver."[14] En lenguaje simbólico, el Falo del dios fue cortado y perdido por encarnación en la carne. El Falo de Asar significa "el cuerpo de carne" en contraposición a lo que es uno con el Dios Eterno y Omnipotente.

La diosa Isis reemplazó el faltante Falo de Osiris con un tótem mágico, un Falo simbólico o Vara. Fue por medio de esta Vara Mágicka que concibió al niño Horus. Ahora *La Proclamación del Perfeccionado*, en la que el Iniciado declara, "Mi Falo es el Falo de Asar,"[15] adquiere un nuevo significado: el falo muerto, el poder terrenal de Asar el hombre carnal capaz solo de fertilizar la Naturaleza, debe ser reemplazado por el Verdadero Falo Creativo. Esto no es una aprobación del ascetismo o una implicación de que debemos despreciar el cuerpo físico. Más bien, buscamos cambiar lo que es arcilla en Oro y hacer de nosotros mismos Templos del Dios Viviente.

---

directa del logro.

12 *Liber LXV,* I:53–54.

13 William W. Goodwin, *Plutarch's Miscellanies and Essays,* Vol. 4, pp. 80 ff. Los otros dos peces eran el Lepidotus y el Phragus. Cf. Wilkinson, *The Manners and Customs of The Ancient Egyptians,* Vol. 3, pp. 340 ff.

14 R.O. Faulkner, *A Concise Dictionary of Middle Egyptian,* p. 200.

15 Ver Apéndice 1. *La Proclamación del Perfeccionado* es del *Libro Egipcio de los Muertos,* Hechizo 42.

Para lograr esto el iniciado debe comenzar a quitarse los velos de la ilusión que envuelven y oscurecen la luz más interior. Gradualmente, a través del proceso de Iniciación, estos velos o "cascarillas" se pelan a través de un proceso que ayuda al candidato a identificar los componentes integrales del Yo, y los que "no son de mí". El foco se desplaza de una fascinación con un mundo profano a una unión volicionada con Dios. El Adepto hablando en *Liber LXV* describe esto como haber "apuntado a la vara pelada de mi Dios."[16] La preparación de una vara mágica, simbólica de la Voluntad, implica la eliminación de la corteza indeseable que rodea la madera pura. La palabra Qliphoth, קליפות, las "cáscaras," literalmente significa "corteza, cascarilla."

La palabra ΦΑΛΛΟΣ "Falo," tiene valor numérico de 831, que es también el de ΠΥΡΑΜΙΣ, "Pirámide." Esta equivalencia numérica sugiere una similitud entre estas palabras aparentemente diversas. Por análisis Qabalístico, se ve que ambas son expresiones de la Fuerza Creativa. La primera es biológica, o dicha fuerza tal como ocurre en la naturaleza. La última es geométrica, un símbolo de esta fuerza realizada por la aplicación de la voluntad direccionada.

Tradicionalmente la Pirámide ha sido considerada como un Templo de Iniciación o una Tumba. En realidad, es ambos, pues ΠΥΡΑΜΙΣ es el Cuerpo Espiritual del Iniciado, así como ΦΑΛΛΟΣ es el cuerpo natural del aspirante.

> Los fundamentos de la pirámide fueron tallados en la roca viva antes del ocaso; lloró el rey al alba que la corona de la pirámide no estuviera aún extraída en la tierra distante?[17]

La pirámide indica la tríada de la deidad, el falo indica el cuaternario del hombre. El trabajo del Colegio Externo de la A∴A∴ está representado en el emblema de estos componentes unidos:

---

16 *Liber LXV*, I:65.

17 *Liber LXV*, V:51. La "roca viva" es el buscador; los "fundamentos" son colocados en el trabajo del Colegio Externo.

El Emblema de la G.D.

el hombre natural elevado por el Espíritu: [18] la pirámide coronada por la cruz.[19]

La Doctrina del Pentagrammaton

El candidato para la iniciación en la Orden Hermética de la Golden Dawn proclamaba: "Déjame entrar en el Sendero de la Oscuridad y, por ventura, allí encontraré la Luz."

Este discurso, pronunciado para el candidato por el Hierofante del ritual del Neófito, se basaba en la teología expuesta por San Juan en su evangelio: "Y la luz en las tinieblas resplandece; mas las tinieblas no la comprendieron."[20]

Durante más de dos mil años el hombre había percibido su relación con Dios en términos de una doctrina disyuntiva que colocaba

---

18 El Hombre Natural es consumido por el Fuego del Espíritu. Cf. *El libro de las mentiras*, capítulo 15.

19 Note que la Cruz que corona la Pirámide es también ת + ש = 700 = פרכת, el Velo entre la Orden Externa y la Orden Interna. Durante el Eón de Osiris, este símbolo fue interpretado como la Luz Redentora descendiendo a la Oscuridad. Cf. *El libro de Thoth*, pp. 96–97.

20 Juan 1,5 (RVA).

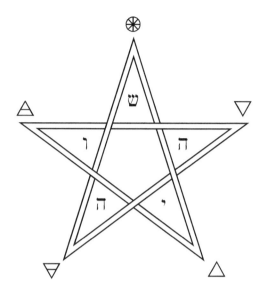

El Pentagrammaton

a Dios por encima y fuera del hombre. El hombre era considerado una criatura humilde y pecaminosa que solo podía ser levantada en estatura espiritual por el descenso de un espíritu redentor, otorgado por la gracia de Dios. El cénit de este dogma se encuentra después del ascenso del cristianismo y en ninguna parte se expresa más claramente que en el relato del apóstol Pablo del milagro de Pentecostés, donde el Espíritu Santo descendió y danzó como lenguas repartidas, de fuego, sobre las cabezas de los creyentes.

En la tradición Qabalista occidental esto tiene su paralelo en la fórmula del Pentagrammaton יהשוה, donde las cuatro letras de YHVH, indicando los elementos ciegos, son coronadas por la letra SHIN, el Espíritu Santo o RUACH ELOHIM,[21] descendiendo en los cuatro elementos inferiores y redimiéndolos. El emblema completo del Pentagrama es el símbolo del Hombre; el nombre hebreo YHShVH (Yeheshuah) es "Jesús," el redentor.

Esta doctrina se originó con Johann Reuchlin (1455–1522) que

---

21   רוח אלהים = 300 que es también el valor de ש.

publicó dos libros en latín sobre el tema de la Qabalah, *De Verbo Mirifico* ("Sobre el Nombre que Obra Maravillas," 1494) y *De Arte Cabalistica* ("Sobre el arte cabalístico," 1517). En la primera obra Reuchlin enseña que "El Nombre que Obra Maravillas" no es el Tetragrammaton YHVH sino el Pentagrammaton YHShVH. En *De Arte Cabalistica* continuó exponiendo este tema, enseñando que la Qabalah contenía "nada menos que la restauración universal, después de la Caída primordial de la raza humana, que se llama la salvación."[22] Según Reuchlin la revelación más sagrada fue dada a Adán por el Ángel Raziel inmediatamente después de su expulsión del Jardín del Edén.

> No te quedes estremecido, cargado de dolor, pensando en tu responsabilidad por llevar a la raza humana a la perdición. El pecado primordial será purgado de esta manera: de tu simiente nacerá un hombre justo, un hombre de paz, un héroe cuyo nombre en piedad contendrá estas cuatro letras - YHVH - a través de su plena confianza recta y sacrificio pacífico extenderá su mano, y tomará del Árbol de la Vida, y el fruto de ese Árbol será la salvación para todos los que la esperan.[23]

Después de un breve discurso sobre el linaje de Adán, concluye:

> Por fin a nuestro padre Adán se le regaló un nieto de Seth. Adán aún tenía en mente la Cábala que había recibido de Raziel: que de su simiente nacería un salvador. Así que el niño se llamaba Enós, es decir, "hombre". Se pensaba y de hecho se esperaba fuertemente, que su nombre concordaría con la Cábala del ángel, el nombre de cuatro-letras, YHVH, o al menos, "en misericordia" o, más Cabalísticamente, que tendría la letra Shin entre las cuatro letras. En el relato sagrado está escrito, aunque la traducción aquí no está muy bien redactada: "Comenzaron a invocar el nombre del Señor." La traducción es precisa, pero algunos cabalistas más reflexivos han hecho una interpretación más correcta que la que se da en la

---

22 Johann Reuchlin, *De Arte Cabalistica*, p. 65.

23 Ibíd., p. 73.

traducción literal. Según la Gematría, "Él quería ser llamado por la letra Shin." En el arte de la Cábala esto es equivalente a "en la misericordia." Ahora según el Notaricon, la letra Mem significa "en medio de" (entendido, las cuatro letras YHVH). Así la frase se altera para que diga: "Quería ser llamado por la letra Shin en el medio de las cuatro letras YHVH." Enós tomaría del Árbol de la Vida de acuerdo con el mensaje del ángel, y redimiría al mundo, como un hombre semejante a Dios que lleva el nombre YH—en misericordia—VH. Note esto bien. Es un misterio sagrado.[24]

Reuchlin creía que la historia del hombre podía dividirse en tres períodos. En el primer período Dios se reveló al hombre en el nombre de tres-letras Shaddai שדי. En el período de la Ley (Torá) se reveló a Moisés en el nombre de cuatro letras del Tetragrammaton יהוה. En el período de Gracia y de Redención se reveló en el nombre de cinco letras, יהשוה, "Jesús," haciendo así pronunciable el nombre impronunciable de Dios. El trabajo Qabalístico de Reuchlin iba a tener un impacto de gran alcance que demostró ser una piedra angular de la tradición mágica occidental. La doctrina del Pentagrammaton que él promulgó permaneció prácticamente sin cambios hasta la caída del Eón de Osiris.

Mientras que un objetivo de la Iniciación puede ser descrito como "la iluminación de la esfera", la perspectiva del candidato en este Eón es la de afirmar que la luz está dentro y no "arriba" o "fuera." Como estrellas únicas en el cuerpo del cielo somos luces para nosotros mismos y lámparas para nuestros propios pies.

Aunque la fórmula de este Pentagrammaton no es abrogada, las percepciones del Nuevo Eón han traído una nueva perspectiva sobre su interpretación. El Espíritu Santo no "desciende" de lo alto y "redime" al hombre. No hay ayuda ni esperanza en nadie más que el hombre. La ש del Pentagrammaton יהשוה significa la chispa de Deidad, el núcleo de cada estrella, independiente de la gracia de cualquier Dios.

---

24 Ibíd., pp. 75-77

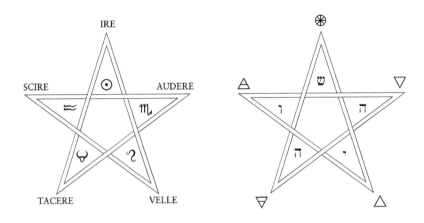

Los Poderes de la Esfinge y el Pentagrammaton

Sin embargo, al principio esta luz es atenuada y el camino es oscuro. Crowley describió una vez a los aspirantes no iniciados como "estrellas oscuras". La llama eterna arde dentro de ellos, pero están obstruidos por los oscuros velos de la ilusión y las sombras del mundo. Su ímpetu está frenado por la inercia de la encarnación.

El proceso de Iniciación ha sido tradicionalmente comparado con caminar o "ir". Se conoce comúnmente como "el sendero". La analogía es apta si se entiende correctamente, porque la Iniciación significa un comienzo y un ponerse en movimiento. Es el primer paso en un interminable viaje hacia el interior. Desde ese primer paso hasta cada paso que lo sucede hay un nuevo comienzo y un nuevo final, un nacimiento y una muerte. La iniciación no es un estado de ser, sino una condición de ir. El punto superior del Pentagrama, la ש de Pentagrammaton, se refiere así al quinto poder de la Esfinge, IRE, "Ir." El Nombre de cinco letras יהשוה no es "Jesús" el "salvador." Es el fuego primario del Espíritu, el núcleo de la estrella despertada del sueño de los muertos, ardiendo en medio de los elementos ciegos que se transforman así de la resistencia en la persistencia, las cuatro virtudes del adepto: Querer, Atreverse, Saber y Guardar Silencio.[25]

---

25 Esto es un intercambio recíproco. El despertar del Espíritu adormecido per-

La esencia espiritual es la llama secreta que es vida y da vida al muerto Osiris. Despertarlo de su sueño es arrojar su luz a los oscuros rincones del ser de uno. Por lo tanto, es lo que da conocimiento de la muerte, la condición de torpor e inactividad. Es lo que afloja las vendas del cadáver y dota de movilidad a los miembros de Osiris para que pueda emprender el camino de la Eternidad. Es el punto superior del Pentagrama, el Corazón de cada humano (Tiphereth), el quinto poder de la Esfinge, el Poder de IR. Dentro de cada individuo se llama **Hadit**.[26]

---

mite al estudiante superar la resistencia de los elementos y armonizarlos por medio de las Virtudes del Adepto.

26 Para Hadit, Cf. *Liber CCXX* capítulo 2. El nombre Hadit se encuentra en la Estela de la Revelación como ☰⊙ *Bḥdt(y)*, "*El Beḥedite*," i.e. Horus de Edfu que toma la forma del disco solar alado.

CAPÍTULO 3

ר

DOS HORIZONTES

"como grandes piedras que están cementadas juntas
en la Pirámide de la ceremonia de la Muerte de Asar,
así ata tú las palabras y los actos. . ."

Liber LXV, V:58

La construcción de la pirámide es inevitablemente un proceso largo y difícil. El iniciado debe luchar contra la inercia de la encarnación que usualmente adquiere el carácter de letargo y pereza espiritual. Una buena indicación de la aspiración es la primera aparición del celo espiritual. Sin embargo, los estudiantes nunca deberían confundir su celo por realizar la Gran Obra con evidencia de la voluntad aplicada. La intención es solo una mitad de la ecuación. El verdadero deseo espiritual es consagrado con la jura del Juramento. Es sellado por la ejecución de la Tarea.

La ejecución de la tarea comienza con la colocación de los cimientos de la pirámide. Con su base de cuatro lados para la estabilidad, elevándose hacia arriba y hacia adentro a un solo punto, la Pirámide es un símbolo apto de la aspiración. Los cinco puntos de la Pirámide indican el Microcosmos; los cuatro elementos coronados por el Espíritu. De la misma manera que su equivalente literal, la pirámide espiritual se construye piedra a piedra con trabajo duro y paciencia. Uno no puede esperar jurar el Juramento y luego esperar a la iluminación desde lo alto. Hay mucho que aprender de la historia de un cierto hombre con una enfermedad que esperaba impotente justo a las aguas de Bethesda durante treinta y ocho años porque nadie lo recogía y lo llevaba a la piscina curativa cada vez que el Ángel revolvía las aguas. Él fue sanado inmediatamente cuando obedeció la orden: "Levántate, toma tu lecho, y anda."[1] Esta no es una parábola de milagros; es una historia de sentido común.

¡Oh generación de chismosos! ¿quién os librará de la Ira que ha caído sobre vosotros?

Oh Chachareros, Parlanchines, Habladores, Locuaces, Cuentistas, Mascadores del Trapo Rojo que inflama a Apis, el Redentor, a la furia, ¡aprended primero lo que es Obra! y LA GRAN OBRA no está tan lejos![2]

La Piedra Viva

En *El Pastor de Hermas* hay una descripción de una visión en la que el vidente contempló la construcción de una gran torre. Observando desde lejos, el vidente observó como seres humanos vivientes venían de los cuatro cuadrantes de la tierra y se insertaban como piedras vivas, uniéndose con ella sin dejar una marca. El alquimista Gerhard Dorn expresó un simbolismo paralelo cuando amonestó: "¡Transmutaos de piedras muertas a piedras filosóficas vivas!"[3]

A pesar de su aspecto maravilloso, la torre en la visión de Hermas estaba incompleta pues la torreta superior estaba ausente.

---

1   Juan 5,2–9 (RVA).

2   *Liber* CCCXXXIII, capítulo 52. Cf. Plutarco, citando un dicho de Eurípides: "Nuestras miserias no surgen de casas que necesitan cerraduras o cerrojos. Sino de lenguas desenfrenadas, mal usadas por tontos y idiotas charlatanes." (William W. Goodwin, *Plutarch's Miscellanies and Essays*, p. 223).

3   "Transmutemini in vivos lapides philosophicos!" *Speculativa philosophia*, Theatrum Chemicum I, p.267. (Citado por Jung, *Aion*, p. 170–171.) Jung sugiere (*Mysterium Coniunctionis*, p. 539) que Dorn estaba haciendo alusión a I Pedro 2,5, "Vosotros también, como piedras vivas, sed edificados una casa espiritual" (AKJV traduce λίθοι ζῶντες como "piedras vivaces." La NIV y el RSV lo traducen como "piedras vivas."

Así que el edificio ese día estaba terminado; sin embargo, la torre no estaba terminada, porque se iba a construir después; por lo tanto, ahora también había algún retraso en ella. . . Le dije al Pastor; Señor: ¿por qué no está terminada la construcción de la torre? Dijo:, porque no puede ser terminada hasta que su Señor venga, y apruebe el edificio . . . [4]

El Templo debe ser adecuado si un Dios ha de morar en él. Por supuesto, el Templo nunca será completamente adecuado hasta que sea coronado por la presencia divina, pero debe ser construido con la capacidad de resistir la presencia del poder invocado. *Magick* es una práctica que se debe tomar con toda la debida gravedad; los diletantes no necesitan, y no deben, postularse.

La torre incompleta descrita por el Pastor de Hermas presenta una notable similitud con la pirámide descrita en el pasaje del *Liber LXV* citado en el capítulo anterior:

Que el fracaso y el dolor no desvíen a los veneradores. Los fundamentos de la pirámide fueron tallados en la roca viva antes del ocaso; lloró el rey al alba que la corona de la pirámide no estuviera aún extraída en la tierra distante?[5]

Antes de que la primera piedra fuera colocada para la construcción de la gran pirámide de Guiza, las bases de esas piedras fueron talladas en la caliza del sitio existente. Esta es la analogía utilizada por *Liber LXV* para la primera obra de Iniciación: se produce un cambio en la estructura natural de la "roca viva"; los receptáculos para los cimientos del Templo se tallan en el *mismo ser* del aspirante. Esta es la naturaleza de la obra, una destrucción de lo viejo para prepararse para lo nuevo. Para algunos es un proceso de devastación. Aquellos que verdaderamente han experimentado este

---

4   Hermas, Similitud IX, 40 & 42 (Siguiendo la traducción de William Wake, *The Genuine Epistles of the Apostolical Fathers*. En J. B. Lightfoot, *The Apostolic Fathers*, estos pasajes están en Parábola la Novena, versículo 5 (p. 223).

5   *Liber LXV*, V:51.

primer trabajo son cambiados de por vida. Ellos están debidamente preparados para la tarea de poner los cimientos del Templo.

La piedra angular de este Templo se encuentra como sillar bruto, una piedra tosca, no pulida e imperfecta. Para servir como piedra angular, debe ser moldeada en el Sillar Perfecto que, según la tradición masónica, se describe como "una piedra preparada por las manos de los obreros."[6]

Esta piedra, la piedra de los sabios, no es otra que el candidato. Esta es la *Prima Materia*, la materia bruta de la cual se construye el Templo. Este es el misterio de la piedra que desecharon los edificadores por su mal aspecto.[7] Solo esta viene a convertirse en la piedra angular principal.

¿Qué hay entonces de la piedra de coronamiento que falta en la Pirámide, con su analogía en la torreta del Castillo de la visión de Hermas? El mensaje es sencillo: cumple la Tarea a mano. Con demasiada frecuencia los estudiantes desean soñar despiertos con el Trabajo que está más allá de sus medios y más allá de su Juramento, en lugar de trabajar pacientemente en lo básico. Siempre parece como si el "gran trabajo", el "trabajo interesante", es el de un Grado superior. Por supuesto, es natural que los principiantes deseen un logro mayor. Sin embargo, aunque el objetivo es "Mañana", el camino que lleva allí es siempre "Hoy". Una de las muchas lecciones enseñadas por Thelema es que debemos tender al "aquí y ahora", pues es la base sobre la cual se construye el futuro. Los Iniciados descubrirán que, siguiendo este consejo básico, cumpliendo la tarea a mano, sin lujuria por el resultado, siempre se produce una bendición inesperada.

> También yo oí la voz de Adonai el Señor, el deseable concerniente a aquello que está allende.
>
> Que los moradores de Thebai y los templos de esta no parloteen nunca de los Pilares de Hércules y del Océano del Oeste. No es el Nilo una bella agua?

---

6   Albert Pike, *Morals and Dogma*, p. 5.
7   Cf. Salmos 118,22-23 y Mateo 21,42

Que el sacerdote de Isis no descubra la desnudez de Nuit, pues todo paso es una muerte y un nacimiento. El sacerdote de Isis levantó el velo de Isis, y fue asesinado por los besos de su boca. Entonces fue él el sacerdote de Nuit, y bebió de la leche de las estrellas.[8]

Las Palabras y los Actos

El candidato para los Rituales de Iniciación del Colegio Externo de la A∴A∴ experimenta de primera mano las representaciones exotéricas de unir los principios de la Palabra y el Acto. El ritual dramático ahora, como en la antigüedad, permite a los candidatos participar en la λεγόμενα (las palabras del ritual) y en la δρώμενα (las acciones del ritual), culminando en τελειότης (el cumplimiento, o la perfección). No son más que reflejos de lo que los candidatos deben lograr en sus propias vidas.

Las Palabras y los Actos corresponden directamente al Juramento y a la Tarea. Sellar el Juramento mediante la realización de la Tarea es unir el habla y la acción como una expresión de la Voluntad.

Estas son las grandes piedras que se unen simbólicamente en el Ritual de la Pirámide, el ritual de iniciación del Neófito de la A∴A∴, donde se celebra la muerte de Asar. El candidato que entra como un muerto, se levanta, ya no como Asar, sino como τέλειος Asar-un-Nefer, "Mí Mismo hecho perfecto."[9]

---

8 *Liber LXV*, V:48–50.

9 En las Religiones Mistéricas griegas, la palabra τέλειος, que significa uno "perfeccionado", era un término técnico utilizado para los Iniciados. (Cf. Bauer, *A Greek-English Lexicon of the New Testament*, p. 809a). Asar-un-Nefer, del egipcio 𓀭𓏤𓈖𓏤 *Wsir-wnn-nfr*, que atribuye a Osiris el epíteto *wnn-nfr*, a veces se traducía como "el hermoso." Se encuentra en el griego Ὀσόροννωφρις. Cf. Betz, *The Greek Magical Papyri In Translation*, PGM IV, 1078 & PGM V, 96–172. Este último fue publicado por Charles Wycliffe Goodwin en 1852 bajo el título *A Fragment of a Graeco-Egyptian Work upon Magic* y fue el documento fuente para la "Bornless Invocation" de la Golden Dawn (Cf. Regardie, *The Golden Dawn*,

Occidente y Oriente

Uno de los epítetos originales de Osiris era "El Primero de los Occidentales".[10] Para los sabios de Egipto, el Oeste como el lugar de la puesta del sol significaba el lugar de la muerte. La palabra para Oeste, 𓇋𓏠𓈖𓏏 *imnt*, popularmente escrita como "Amente," se convirtió en una metáfora común de la muerte.[11] El lugar de descanso final de la realeza en el Imperio Nuevo era el Valle de los Reyes, que se encuentra en el lado occidental del Nilo frente al este, 𓈎𓃀𓏏 *iȝbt*, donde el sol renacía como Ra cada mañana. Típico de los Eones anteriores, la luz es vida, la oscuridad es muerte. Es significativo notar que 𓈎𓃀𓏏𓇌 *iȝbty*, "oriental," también significa "(la mano) izquierda," mientras que 𓇋𓏠𓈖𓏏𓇌 *imnty*, "occidental," significa del mismo modo "(la mano) derecha."[12]

La importancia de estas cosas se revela parcialmente por un pasaje en el Libro de los Muertos:

Yo soy Ayer; Yo conozco Mañana.

¿Qué significa esto?

En cuanto a "ayer", es Osiris. En cuanto a "mañana", es Ra, en ese día cuando los enemigos de El Señor de Todo [13] sean destrui-

---

p. 442–446) y para *Liber Samekh* de Crowley.

10   𓊹𓏤𓈖𓇋𓏠𓈖𓏏𓇌 *ḫnty imntyw*. Faulkner, *Concise Dictionary of Middle Egyptian*, p. 194.

11   En los últimos tiempos la palabra *imnt* se encuentra en el copto ⲀⲘⲚⲦⲈ, y se utilizó para traducir el griego ΑΔΗΣ, ΤΑΡΤΑΡΟΣ y ΘΑΝΑΤΟΣ. (Crum, *A Coptic Dictionary*, p. 8b.) Cf. Černý, *Coptic Etymological Dictionary*, p. 6.

12   La palabra adecuada para "la derecha" es normalmente transliterada *wnm*, aunque es comúnmente escrita como arriba. Cf. Faulkner, *Concise Dictionary of Middle Egyptian*, pp. 21 y 62.

13   𓎟𓂋𓆓 *nb-r-ḏr*, "El Señor de Todo", literalmente "El Señor hasta el Fin", aquí

dos y su hijo Horus sea hecho para reinar. En otras palabras, ese
día del Festival (llamado) "Nosotros Perduramos"; cuando el
entierro de Osiris es ordenado por su padre Ra.[14]

Osiris el hombre muerto, ΝΕΚΡΟΣ, es "ayer" para el Neófito, aquel
estado de existencia que es pasado.[15] "Mañana" es simbolizado por
Ra, el sol que amanece en el Este, señalando un nuevo día,[16] la
nueva vida a la cual el Iniciado aspira.[17] En *La Proclamación del
Perfeccionado*, el buscador grita: "Mi rostro es el rostro de Ra." Ya
no paralizado por esa imagen fatal de la naturaleza, la máscara de
la muerte de Asar, la auto-imagen del aspirante se convierte en la de
Tiphereth, centro del microcosmos.

El horizonte del este está representado en el nombre del dios
Hoor-Khuit 𓅃 *Ḥr-3ḫty*,[18] cuyo nombre significa literalmente,
"Horus del horizonte". Otra versión, un poco más específica, se da
como 𓅃𓐛𓃀𓊖 *Ḥr-m-3ḫt*, que los griegos representaron como *Har-
machis*.[19] Esta forma se entiende como "Horus EN el horizonte",
especialmente por los aspirantes a la A∴A∴. La ortografía antigua del nombre como 𓅃𓃀𓊖 utilizando los mismos jeroglíficos

---

indica Ra/Ra-Atum. Cf. *Coffin Texts* 60, I, 250a "En cuanto a Bastit, la hija de Re-
Atum, la hija mayor de Neberdjer," y *Coffin Texts* 60, I, 250g–251a "Lo que él que
está en su naos dijo, que es el mismo Ra, siendo Neberdjer." (Dr. Harold M. Hays,
correspondencia privada con el autor 6/6/2005 e.v.).

14   Libro Egipcio de los Muertos, Hechizo 17. Texto tomado de Faulkner &
Goelet, *The Egyptian Book of the Dead, the Book of Going Forth by Day,
being the Papyrus of Ani*, plate 7, traducción por Gunther.

15   El estado de 𓂋𓏤 *sf*, "ayer" es 𓋴𓆑𓈖𓏤 *sfn3*, "dormir." Ver capítulo 1.

16   "Mañana" es ✳𓅱𓏤 *dw3w*, el tiempo de ✳𓇼 *dw3t*, "veneración," dirigiendo el
rostro hacia ✳𓅱𓊖 *dw3t*, "la Morada estrellada."

17   En una etapa posterior de la Iniciación esto será modificado. Asar-un-Nefer
será "Ayer" (Malkuth); Ra será "Hoy" (Tiphereth); "Mañana" será Horus el Niño
(Bebé del Abismo).

18   Los egiptólogos modernos traducen el nombre como Harakhti. La ortografía
usada en este libro es del Libro de la Ley.

19   Dado como *Hrumachis* en *Liber CCXX*, III:34.

encontrados en 𓂝 *3ḫ* (el Khu),[20] sugieren un significado oculto en la palabra *Ḫr-m-3ḫt*, indicando no solo el horizonte geográfico, sino ese aspecto del individuo que se llama el **Khu**, 𓂝 *3ḫ* .[21]

El horizonte opuesto del Oeste 𓈌 *imnt*, era sinónimo de la muerte. El Este 𓈌 *i3bt*, era asociado con la vida, en el sentido de la resurrección de la muerte. El significado adicional de 𓈌 *i3bty* como "(la mano) izquierda," y la asociación ortográfica de 𓈌 *imnty* con "(la mano) derecha" indica la orientación de alguien mirando al Sur, en el punto medio entre la Vida y la Muerte. El Signo de Adoración conocido como "La Convocación" es atribuido al Sur.[22]

Esto es aún más significativo porque Osiris ya no es "El Primero de los Occidentales." Ese epíteto se le da ahora a Horus.

> Regocijaos conmigo, O, vosotros, Hijos de la Mañana; erguíos conmigo sobre el Trono de Loto; reuníos a mí, y nosotros jugaremos juntos en los campos de luz. Yo he pasado al Reino del Oeste tras mi Padre.[23]

Horus, el Niño Coronado y Conquistador del Nuevo Eón, habiendo tomado su puesto tanto en el Occidente, como en el Oriente, ahora significa los Dos Horizontes, y todos los aspectos de la polaridad unificada.

> Yo soy luz, y yo soy noche, y yo soy aquello que está más allá de ellos.
>
> Yo soy habla, y yo soy silencio, y yo soy aquello que está más allá de ellos.
>
> Yo soy vida, y yo soy muerte, y yo soy aquello que está más allá de ellos.

---

20   De nuevo, dando la transliteración diacrítica moderna de la egiptología moderna, pero utilizando la ortografía de *Liber CCXX* para la traducción.

21   Cf. *Pyramid Text 364*, *3ḫ.ti m rn=k n(i) 3ḫ.t prr.t rꜥ im=s* "Sé un *3ḫ* en tu nombre del 'horizonte' en el que Ra asciende."

22   El Signo de Adoración, conocido como "La Convocación," es atribuido al Sur y a la "apertura de los caminos" del Khu.

23   *Liber CDXVIII*, 22.º Éter.

Yo soy guerra, y yo soy paz, y yo soy aquello que está más allá de ellos.

Yo soy debilidad y yo soy fortaleza, y yo soy aquello que está más allá de ellos.[24]

La Estrella Individual

Uno de los puntos más críticos de la doctrina en Thelema es la comprensión de que todo hombre y toda mujer es una "estrella". Con esto, en su sentido más simple, queremos decir que cada persona es única. La palabra egipcia utilizada para transmitir esta idea es **Khabs**. El Khabs es la manifestación espiritual de una persona desde las posibilidades infinitas de Nu. Es la "Casa" de Hadit.

Khabs no es la palabra egipcia normal para "estrella."[25] Sin embargo, es una palabra que lleva este significado de una manera muy simbólica. Para entender la importancia de esto, es necesario hacer una breve digresión.

La palabra *Khabs* se encuentra en la paráfrasis de la Estela de Revelación y fue pronunciada por Aiwass en el dictado de El Libro de la Ley.[26] Crowley la comprendió como "Estrella." Sabemos que esta palabra le habría resultado familiar por las enseñanzas de la Orden Hermética de la Golden Dawn que utilizaba la frase "Khabs am Pekht", y enseñaba que significaba "Luz en extensión". Sin embargo, la palabra que Crowley aprendió en la Golden Dawn tiene su origen en una palabra distinta, que es el sustantivo egipcio ẖbs, que significa "una luz" o "una lámpara."[27] Para complicar aún

---

24 *Liber CDXVIII*, 1er Éter.

25 La palabra común para estrella es *sb3* (Faulkner, *A Concise Dictionary of Middle Egyptian*, p. 219). Copto ⲤⲒⲞⲨ, Crum, *Coptic Dictionary* 368A–B, Černý, *Coptic Etymological Dictionary* p. 167.

26 Ver *Liber CCXX*, I:8–9 y II:2.

27 Ver Leonard H. Lesko, *A Dictionary of Late Egyptian*, Vol. II, p. 169. Copto ϦⲎⲂⲤ. (Crum, *Coptic Dictionary* p. 658A. Cf. Černý, *Coptic Etymological Dictionary*, p. 275.)

más el asunto, la palabra transliterada como "Khabs" en la paráfrasis de la Estela de la Revelación es en realidad la palabra ꜣ- *šwt*
"sombra." La traducción de Bulaq, en lo que ahora es la anticuada
Egiptología de la época, transliteró incorrectamente esta palabra
khab, pero correctamente dio el significado como "sombra".[28]

Crowley claramente no derivó el significado de "estrella" en
relación con "Khabs" de la traducción de Bulaq de la Estela. ¿De
dónde sacó el significado de "estrella"? Se podría argumentar que
Crowley simplemente extrapoló el significado de "estrella" de una
palabra que pensaba que significaba "luz". Alternativamente, la
palabra aparece en *Hieroglyphic Vocabulary to the Book of the
Dead* por E. A. Wallace Budge publicado en 1898, donde está
transliterada como χ*ebs*.[29] Crowley ciertamente podría haber
tenido acceso a esta obra y es posible que la haya estudiado con
suficiente cuidado para conectar la transliteración de Budge de χ*ebs*
con la palabra *Khabs*. Es posible, pero no probable. La obra fue
una ayuda para el estudio de los jeroglíficos, y aunque sabemos que
Crowley estudió *El Libro de los Muertos* en traducción, no tenemos pruebas de que haya estudiado jeroglíficos.[30] Además, está el
hecho preocupante de que la palabra *Khabs* que significa "estrella"
ni siquiera ocurre en la Estela. ¿Es posible que Crowley recibiera
esta información directamente de Aiwass, quien estaba usando una
palabra egipcia de origen antiguo? Yo sostengo que así es.

En el período de los Textos de las Pirámides, encontramos el
epíteto 𓇓𓄿𓏤 *ḥꜣ-bꜣ=s*, "mil son su(s) alma(s)." Esta frase, originalmente un nombre para el cielo, se fusionó como una palabra, con
vocalización confusa, y continuó en los textos egipcios a través del

---

28   En francés, "l'ombre." El traductor del museo Bulaq posiblemente confundió
la palabra *šwt* con la palabra *ḥꜣybt*, "sombra," que también tiene el determinante
de la sombrilla. (Lesko, *A Dictionary of Late Egyptian*, Vol. II, p. 157. Cf. Copto
ϩⲀⲓⲂⲈⲤ "sombrilla, sombra." Crum, *Coptic Dictionary*, p. 657B, y Černý, *Coptic
Etymological Dictionary*, p. 275.)

29   Budge, *A Vocabulary in Hieroglyphic to the Theban Rescension of the
Book of the Dead*, p. 245.

30   Un estudio cuidadoso de las obras de Crowley sugiere claramente que él sabía
prácticamente nada acerca de los jeroglíficos egipcios.

período tardío como *Khabas*. Antiguamente, *Khabas* se refería al firmamento, la morada de las estrellas.[31] En textos egipcios posteriores, se refiere directamente a las estrellas mismas, como en 𓐍𓁐𓏭✳✳ *ḫȝbȝs*, "cielo estrellado."[32]

Así, hay pruebas etimológicas sólidas de que Khabs significa exactamente lo que Crowley entendió que era, como reveló Aiwass, y que *Khabs* es la transliteración inglesa utilizada para 𓐍𓁐𓏭 *ḫȝ-bȝ=s*. Como he dicho anteriormente, esta no es la palabra egipcia común para estrella, sino una palabra que lleva un significado profundamente significativo, y uno que está en perfecta armonía con la doctrina de que todo hombre y toda mujer es 𓐍𓁐𓏭 *ḫȝ-bȝ=s*, una estrella en el Cuerpo de Nuit, que es ella misma el 𓐍𓁐𓏭✳✳ *ḫȝbȝs*, "cielo estrellado." Además, hay que señalar que el segundo carácter de esta palabra es el Jabirú 𓁐, o el **Ba**, que significa el alma humana.

El Resplandor de la Estrella

El significado exacto de la palabra "Khu" ha dejado perplejo a los eruditos durante años. Ha resultado difícil encontrar un término familiar para los lectores occidentales que transmita algún sentido de cómo los propios egipcios lo entendieron. Para nuestros propósitos, es mucho más importante entender su significado como se utiliza en *Liber CCXX, El Libro de la Ley*. Crowley explica este término como sigue:

> El Khu es la vestimenta mágica que [el Khabs, o Estrella] teje para sí mismo, una "forma" para su Ser Allende la Forma, mediante uso del cual puede ganar experiencia a través de la autoconciencia ... [33]

---

31 Cf. *Pyramid Text 434, Pyr 785b* "incluso que las haces estrellas en *Khabas*." Estoy en deuda con el Dr. Harold Hays por la etimología de *Khabas* y las citas de respaldo.

32 Faulkner, *A Concise Dictionary of Middle Egyptian*, p. 184.

33 *The Law is for All*, p. 32.

> Cada uno de nosotros es Hadit, el núcleo de nuestros Khabs, nuestra
> Estrella, uno de la Compañía del Cielo; pero este Khabs necesita un
> Khu o Imagen Mágica, para representar su parte en el Gran Drama.
> Este Khu, a su vez, necesita la prenda apropiada, un "cuerpo de
> carne" adecuado, y esta prenda ha de ser digna de la Obra de
> Teatro.[34]

> cuanto más complejo sea el Khu de la Estrella, mayor será el hom-
> bre, y más agudo será su sentido de sus propias imperfecciones,
> del alcance de su trabajo, y de su necesidad de lograrlo.[35]

De esto vemos que el Khu no es estático, sino que es relacional en
proporción a las potencialidades individuales (Nu) que se mani-
fiestan (Hadit) por la estrella (Khabs). A medida que expandimos
nuestra experiencia de la vida, ya sea espiritual, intelectual o físicamente, extendemos nuestras fronteras auto-impuestas y realizamos
más de las infinitas e ilimitadas posibilidades abiertas a cada uno
de nosotros. Es a través de este proceso que crecemos como seres
humanos: si aprendemos de estos sucesos e incorporamos sus
lecciones en la tela de la prenda de la vida que tejemos.

Para repetir lo que dijimos antes, el Khabs es lo que distingue al
individuo del Infinito. Sin embargo, el Khabs no puede ser "visto"
por otros. Lo que el Khabs presenta al mundo es el Khu, un manto
visible de experiencia, una ropa de diversos colores tan variados
y únicos como la estrella individual que lo crea. Uno podría decir
que es el resplandor esencial, la "individualidad mágica" de nuestra
estrella a lo largo de su viaje.

Cuando el aspirante grita en sus adoraciones, "¡Aparece en
el trono de Ra! ¡Abre los caminos del Khu!" debe ser más que
recitación habitual. Es una invocación del Señor de la Transformación que tiene en Sus manos los poderes de la Vida y la Muerte,
la Palabra que los aviva, abriendo los caminos del Khabs a través
del portal secreto en la Casa de Ra y Tum.

---

34 Ibíd., p. 141.

35 Ibíd., p. 152.

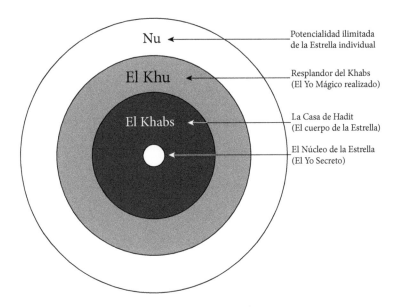

Potencialidad ilimitada
de la Estrella individual

Resplandor del Khabs
(El Yo Mágico realizado)

La Casa de Hadit
(El cuerpo de la Estrella)

El Núcleo de la Estrella
(El Yo Secreto)

La Estrella Individual

La Luz sobre ese sendero se encuentra en aquel Uno llamado el **Ka**, por lo que Nosotros nos referimos al **Santo Ángel Guardián**. En jeroglífico, la palabra Ka está escrita ⊔, un símbolo que ilustra la unidad perfecta de la Mano Derecha y la Izquierda, la unión de Oeste y Este, Muerte y Vida, Hombre y Dios. Se refleja en una cierta postura Mágica atribuida al Oeste que se llama *El Signo del Regocijo*, porque la alegría del Iniciado está más allá de Asar, el primero de los Occidentales, el señor del viejo mundo gris, la tierra de la muerte y la aflicción.

Estos están muertos, estos sujetos; ellos no sienten. Nosotros no somos para los pobres y tristes: los señores de la tierra son nuestros parientes.
Va un Dios a vivir en un perro? No! pero los más elevados son de nosotros. Ellos se regocijarán, nuestros elegidos: quien se aflige no es de nosotros.[36]

---

36 *Liber CCXX*, II:18–19.

Dios
NETER

Adoración
DUA

Hombre
SA

Regocijo
ḤAI

Convocación
A'ASH

Alabanza
HENU

Los Signos de las Adoraciones

CAPÍTULO 4

ק

PASILLOS DEL CREPÚSCULO

Lamentaos, O, vosotros, vulgo de la tierra gris, pues nosotros hemos bebido vuestro vino, y os hemos dejado sino los posos amargos. Mas de estos nosotros os destilaremos un licor allende el néctar de los Dioses.

Liber VII, VI:36–37

En el sistema de la A∴A∴ hay tres grandes Equilibrios que deben lograrse. El primero de estos se llama el "Equilibrio entre las Cáscaras." Esta tarea se refiere al 18.º Triunfo del Tarot, La Luna.

Las Cáscaras son las Qliphoth, la "corteza" vacía o "cascarillas" del Árbol de la Vida. Ha habido una tendencia en la tradición occidental de la magia por parte de algunos a identificar a las Qliphoth con "demonios" desencarnados. Esta es una superstición inculta que debería haber sido relegada al basurero de la ignorancia medieval. Desafortunadamente ha sobrevivido hasta la era actual gracias a un miedo intrínseco de la oscuridad, combinado con la doctrina desequilibrada de teólogos y espiritualistas primitivos. Tal concepto simplista de las Qliphoth no es el inherente en la Qabalah Luriana, a la que la tradición occidental le debe tanto, ni tampoco lo es en los Libros Sagrados de Thelema.

En el lenguaje de los Libros Sagrados, el mundo de las Cáscaras es simplemente el mundo profano, el "mundo tonto", el "mundo de la vieja tierra gris".[1]

---

1   *Liber VII*, V:37.

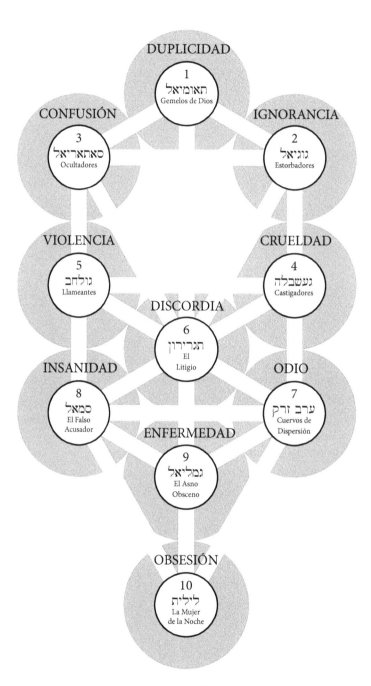

Las Qliphoth en el Árbol de la Vida

Las Qliphoth son los aspectos de un Árbol de la Vida desbalanceado y contrastan con las características del Árbol balanceado: división en lugar de Unidad, ofuscación e ignorancia en lugar de Sabiduría y Comprensión; un mundo despiadado tendiente a la violencia, el caos, el odio, la locura, la enfermedad y la obsesión.

Solo hay que seguir las noticias del mundo para encontrar ejemplos de estas características de la tendencia Qliphótica. Hay quienes proclaman en voz alta que el mundo está empeorando; los protestantes se deleitan en proclamar que es una clara señal del "fin de los tiempos" y la inminente "segunda venida" de Jesús. No hay evidencia empírica que apoye la creencia de que la condición moral es peor hoy que en el pasado lejano.

Esto no pretende trivializar horrores como el holocausto judío en la Segunda Guerra Mundial. El ímpetu de esta atrocidad estaba arraigado en el mismo mal Qliphótico que ha levantado su fea cabeza desde el amanecer del hombre. Frente a un número tan asombroso de inocentes asesinados, tendemos a adormecernos y olvidar que el asesinato premeditado y sin sentido de una sola persona es un crimen contra la humanidad, y es alimentado por la misma locura que envió a millones a la cámara de gas.

Lo único que es seguro es que el mundo se ha hecho más pequeño debido a la tecnología. Los horrores que una vez fueron capaces de ocultarse en los rincones oscuros del planeta ahora son expuestos y transmitidos rápidamente alrededor del mundo. El estado general de la condición humana probablemente no es peor, proporcionalmente, que como siempre ha estado. Los métodos de la locura han aumentado en la complejidad de la ejecución, pero las tendencias viles y desequilibradas que los informan son tan antiguas como el tiempo. Si la Luftwaffe hubiera estado a la disposición de Atila el Huno mientras se presentaba a los romanos y visigodos, el "azote de Dios" habría tenido unos cuantos dientes más. En última instancia, no hay diferencia entre el carácter de las hordas de Atila y las de los nazis. En tiempos menos tecnológicamente avanzados, los fanáticos religiosos de débiles mentes andaban descontrolados mientras blandían espadas; ahora, tienen los medios para secuestrar aviones y estrellarlos en edificios altos. Bajo la piel, hay poco para distinguir a estos lunáticos de sus predecesores con espadas.

Los aspirantes a la A∴A∴ siguen un método basado en el Árbol de la Vida balanceado. Estas tendencias adversas se confrontan y deben ser sistemáticamente equilibradas.

Cabe señalar que, dentro de este camino, hay etapas en las que el Candidato, mientras realiza las Tareas asignadas, no está en una posición de balance. Por ejemplo, un Neófito o un Zelator puede retirarse de la Orden en cualquier momento, simplemente notificando a su Superior Inmediato. Sin embargo, se insta al Practicus y al Philosophus a que no intenten terminar su asociación con la Orden.[2] La razón de este dictamen es que la Obra que han jurado realizar no se encuentra en el Pilar del Medio del Árbol de la Vida, sino que está asociado con el Pilar de la Severidad o de la Merced y por lo tanto no está en balance.

El Espejo Mágicko

Quizás el mayor escollo a la Iniciación sea la fascinación por *La Imagen Fatal de la Naturaleza*, que es un nombre evocador para el mundo profano.[3] Al comienzo de la encarnación, comenzamos el proceso de integrarnos en este mundo para sobrevivir. Como jóvenes, todos nos esforzamos por "encontrar nuestro lugar en el mundo" y cruzar el puente de la infancia a la edad adulta. Un adulto bien equilibrado debe primero estar sólidamente asentado en el mundo.

Por vital que sea este proceso, los Iniciados aspirantes que han declarado que es su Voluntad Verdadera realizar la Gran Obra deben comenzar a diferenciar entre los componentes ilusorios y genuinos de su visión del mundo, que por supuesto comienza con una investigación seria de sí mismos. La tendencia del ego a identificarse plenamente con *La Imagen Fatal* es grande ya que este es un proceso natural inherente a la encarnación. Es el impulso del Sí-Mismo el que continuamente intenta corregir el balance y nos recuerda que somos seres, no solo de la carne, sino del Espíritu. Aquellos que caen víctimas del encanto de la *Imagen Fatal de la Naturaleza* se han "enamorado" de una falsa imagen de sí mismos, y como resultado han caído del sendero del Viaje Interior.

---

2   *Liber CLXXXV* artículos D & E, punto 7.

3   Para una descripción más detallada de *La Imagen Fatal de la Naturaleza*, ver capítulo 6.

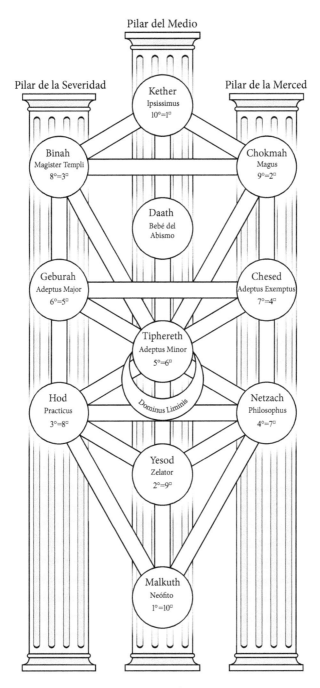

Los Tres Pilares del Árbol de la Vida

Sirena con un espejo mágico

Este peligro aparece en una ilustración de la literatura de la Alquimia, donde una sirena sostiene un espejo de falso reflejo.

Aquí también está la esencia del mito de Narciso, que fue destruido al convertirse en víctima de su propio reflejo. En otro mito más, es el niño Dionisio quien es despedazado por los Titanes mientras juega con un espejo, entre otras cosas. Según Proclo, el espejo significaba que Dionisio contemplaba su propia imagen y avanzaba hacia ella con deseo. Al igual que Narciso, anhelaba la auto-realización y se quedó confinado en la materia, es decir, se identificó plenamente con el mundo de la encarnación y perdió de vista su origen divino.[4]

Las lecciones de estos mitos resuenan con un tema constante. Estos dioses fueron castigados por enamorarse del mundo del hombre carnal. El candidato también se enfrenta a semejante ordalía. La atracción del mundo es fuerte, tomando las características de la expresión del Demiurgo que se dice que lo creó: "Soy yo quien es Dios; no hay ninguno [aparte de mí]."[5]

---

4   Proclo, *Timaeus* iii 63, citado por G. R. S. Mead, *Orpheus*, p.160. Cf. Thomas Taylor, *The Commentaries of Proclus on the Timaeus of Plato*, p. 453.

5   *The Nag Hammadi Library in English, The Hypostasis of the Archons*, p. 153. El Demiurgo, ya sea conocido como Sakla, Samael, Ialdabaoth o Jehovah, es el "dios de los ciegos." Contemplando su propio reflejo en las aguas primarias,

Nunca debemos perder nuestro sentido de perspectiva mientras perseguimos la Gran Obra. Debemos vivir *en el mundo*, con todos sus problemas y peligros, y no separados de él, sin embargo, todo el tiempo equilibrando la vida espiritual con la vida temporal. Como somos advertidos por los mitos de antaño, el aspirante no debe sucumbir al encanto del mundo profano, ni dejarse seducir por una imagen inflada y falsa de sí mismo. El Arma asociada con Qoph es el Espejo Mágico, que el estudiante bien capacitado nunca debe olvidar, se lleva principalmente como una advertencia contra el error de la vanidad espiritual y el auto-engaño.

L∴P∴D∴

El Equilibrio inicial requerido se indica desde el principio en el Juramento del Probacionista. En las cuatro esquinas del formulario del Juramento, escritas dentro de cuatro triángulos, significando los cuatro lados de la Pirámide, aparecen las siguientes triadas:

Vida	Libertad	Amor	Luz
Putrefacción	Poder	Pasión	Percepción
Muerte	Destino	Corrupción	Oscuridad

La letra inicial (en inglés) de las cuatro triadas, escrita en hebreo, לפד, tiene valor 114, que es un múltiplo de 2, 3, o 6 (Sabiduría, Comprensión, Belleza). El ápice de esa pirámide es la Belleza (Tiphereth), que se nutre de la Sabiduría y la Comprensión. En hebreo לפד es una raíz en desuso que significa "flamear, resplandecer," la fuente raíz de la palabra que significa "lámpara."[6]

En caracteres griegos las Letras son Λ, Π, Δ, que, cuando se combinan, forman el sello que muestra la unión de la Triada y el Cuaternario, lo Divino y lo Humano, ⚠. Eliphas Levi escribió acerca de esto:

---

erróneamente pensó que era el Único Dios.

6   *Gesenius' Hebrew-Chaldee Lexicon to the Old Testament Scriptures*, p. 440

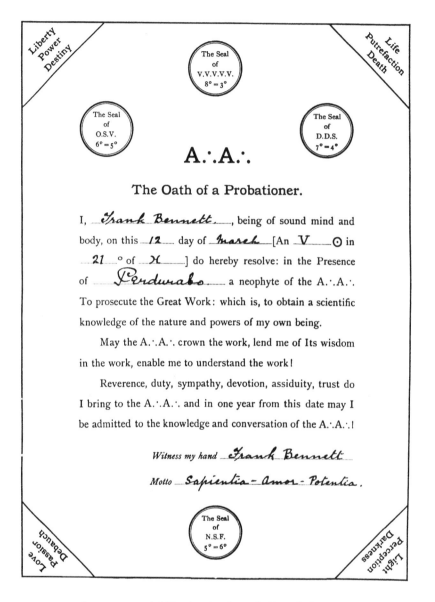

Juramento del Probacionista de Frank Bennett

La Cuadratura del Círculo

Hemos hablado de la importancia mágica de la triada y la tétrada. Su combinación constituye el gran número religioso y cabalístico que representa la síntesis universal y comprende el septenario sagrado.[7]

Este emblema del Septenario formado por la unión del Triángulo y del Cuadrado es también la Llave para la "Cuadratura del Círculo", un problema al que los Alquimistas dedicaron no poca cantidad de tiempo.

---

7   Eliphas Levi, *Transcendental Magic: its Doctrine and Ritual*, p. 250.

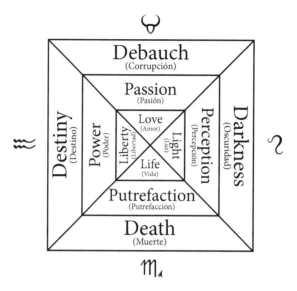

La Pirámide L.P.D.

"Cuadrar el círculo" es otro término para "fijar lo volátil."[8] Es un motivo que se utiliza en todo el Sistema de Grados de la A∴A∴ indicando el Sellado del Grado. Así, por ejemplo, el grado de Neófito se representa como $1°=10^{\square}$, confirmando el logro del primer paso ($1°$) en el Árbol de la Vida balanceado, que es realizado en Malkuth la Décima Sephira ($10^{\square}$).

A modo de explicación más simple, se puede decir que L∴P∴D∴ se atribuye a ♎, ♂, y ♀,[9] que representan el Balance de lo *Activo y Pasivo*; el Balance de Severidad y Merced, el Azote y el Báculo de Osiris ⚔ cruzados en Armonía sobre el corazón.[10]

Sin embargo, por válidas que sean estas exposiciones, no revelan el significado central de las palabras escritas en los cuatro lados de la Pirámide.

---

8   Para el tema de "fijar lo volátil," ver también capítulos 1 y 5.

9   L = ל = ♎, P = פ = ♂, D = ד = ♀.

10   El Corazón = Tiphereth, "Armonía" que es también el Espíritu coronando los cuatro elementos de Tierra (Malkuth), Aire (Yesod), Agua (Hod), y Fuego (Netzach).

L.D.P. en el puente

Tal como se discutió en el capítulo anterior, la Pirámide debe ser construida desde cero, piedra por piedra. Los orígenes del Candidato se declaran en las cuatro primeras piedras de la base: Asar, sus pies atados por los harapos del *Destino* involuntario, en la *Oscuridad* de la *Muerte*, su fuerza disipada en la *Corrupción*. Para levantarse de su estado de torpor, debe poner la segunda serie de piedras, pasar a través de la etapa llamada *Putrefacción* y ser transformado en uno que puede desarrollar la *Percepción* Espiritual que le dará el *Poder* de desatar sus propios pies y descubrir la naturaleza de su propio ser. Solo entonces podrá establecerse la piedra de coronamiento de la Pirámide, que es *Vida, Luz, Libertad* y *Amor*.

Las Letras L∴P∴D∴ son conocidas por nuestros hermanos masones en el 15.º Grado del *Capítulo de la Rosa Cruz*. En este grado, las iniciales aparecen sobre los arcos de un puente. Esto se refiere a la historia bíblica del cautiverio babilónico de los judíos y su posterior liberación por orden del decreto de Ciro[11] tras lo cual regresaron a Jerusalén para realizar la promesa de Dios y reconstruir el Templo. Así, en la tradición Masónica, el significado original de

---

11 II Crónicas 36,22–23.

estas palabras se dice que es *Liberté de Passer.*[12] El 15.º Grado de
la Masonería enseña esencialmente la lección de la fidelidad a las
obligaciones y la perseverancia de cara a la adversidad.

> La nube será levantada, la puerta del misterio será atravesada,
> y la plena luz resplandecerá para siempre; de la cual la luz de
> la Logia es un símbolo. Entonces lo que nos causó dificultades
> nos rendirá el triunfo; y lo que hizo doler nuestro corazón nos
> llenará de alegría; y entonces sentiremos que allí, como aquí, la
> única felicidad verdadera es aprender, avanzar, y mejorar; que no
> podría suceder a menos que hubiéramos comenzado con el error,
> la ignorancia, y la imperfección. Debemos atravesar la oscuridad,
> para alcanzar la luz.[13]

La Noche Oscura

Tan pronto como los estudiantes se ponen firmemente en el sendero, habiendo experimentado la iniciación central del Neófito,[14]
pueden encontrarse en un estado que llamamos "La Noche
Oscura del Alma".[15] La naturaleza exacta de este pasaje a través de
la noche difiere algo de Candidato a Candidato, dependiendo del
carácter intelectual y emocional del aspirante. Lo que se puede decir
con certeza es que no es un asunto agradable. Las prácticas más
simples se vuelven pesadas en extremo y uno es reacio a persistir.
Esa búsqueda espiritual que era una fuente de alegría se convierte
en el yugo de la esclavitud; la fuente de inspiración que fluía tan
libremente se vuelve tan seca como el polvo; la búsqueda de Luz
en el camino parece desesperadamente imposible; hay el comienzo

---

12   Libertad de Paso.

13   Albert Pike, *Morals and Dogma of the Ancient and Accepted Scottish Rite
of Freemasonry,* p. 240.

14   Este capítulo debe estudiarse simultáneamente con el capítulo 6.

15   Por el término "Noche Oscura del Alma" estamos en deuda con la obra maes-
tra que lleva este título, escrita por San Juan de la Cruz (1542–1591), místico español, poeta, Doctor de la Iglesia, y Hermano de la A∴A∴

de la depresión. Miguel de Molinos lo describe con las palabras apasionantes de alguien que lo ha experimentado:

> Por otra te atormentará la misma Naturaleza, Enemiga siempre del Espíritu que, al ser privada de los Gustos sensibles, se queda Floja, Melancólica y llena de Tedio, de manera que siente el Infierno de todos los Ejercicios Espirituales, y especialmente en el de la Oración. Así te afligirá de sobremanera el deseo de acabarla, por la molestia de los Pensamientos, por el cansancio del Cuerpo, por el Sueño importuno y no poder refrenar los Sentidos, que cada uno por su parte quisiera seguir sus Gustos. ¡Dichoso tú si perseveras en medio de este Martirio![16]

Las causas de esta experiencia son numerosas. San Juan de la Cruz las explora en detalle, y usted será bien recompensado por un estudio cuidadoso de su exposición magistral. Para algunos de los más sinceros y dedicados, parecería que el punto crucial de la cuestión es en verdad el resultado de mirar profundamente en el Espejo Mágicko. Cuando uno entra por primera vez en contacto genuino con el Santo Ángel Guardián, incluso de la manera más rudimentaria (pues así es en el principio), la brecha entre Hombre y Dios parece tan vasta que nuestras sensibilidades son aturdidas y avergonzadas por notar inconscientemente nuestra falta de valor en comparación con el Bienamado. Esto se debe a la tendencia polarizadora de la psique. Un encuentro con Dios contrasta con la confrontación con las profundidades de la personalidad humana. Así que la experiencia inicial del Santo Ángel Guardián puede constelar su opuesto, que es la Sombra, o *Persona* Malvada. Nuevamente, dependiendo de la naturaleza de los errores inherentes en el carácter del candidato, esta experiencia puede ser mitigada o intensificada en consecuencia. No todos nosotros somos avergonzados y heridos por la gloria del Santo en el camino a Damasco, pero algunos de nosotros lo hemos merecido y lo hemos recibido en su totalidad como recompensa por nuestra vanidad y orgullo. A diferencia del apóstol Pablo, algunos de nosotros recibimos una vista mejorada como resultado, junto con un muy necesario ajuste de actitud.

---

16 Miguel de Molinos. *Guía Espiritual*, Libro I, XI:71.

Ah! mensajero del Uno bienamado, que Tu sombra esté sobre mí!
Tu nombre es Muerte, puede ser, o Vergüenza, o Amor. Así que tú
me traes noticias del Uno Bienamado, yo no preguntaré tu nombre.[17]

La aparición de la Noche Oscura es considerada por los Hermanos
de la A∴A∴ como equivalente al descenso de la Gracia, más que una
maldición, porque es un procedimiento de limpieza: un purgante para
el alma. Es por esta razón que los grandes místicos escriben sobre su
necesidad y su cualidad redentora. Esta Noche Oscura del alma
también corresponde a la primera fase mayor del proceso Alquímico
que se llama el *Nigredo*, o "negrura".[18]

El *Nigredo* es representado a veces en la literatura Alquímica por
el Cuervo, un pájaro carroñero negro. El *caput corvi*, la "cabeza del
Cuervo", es otra palabra para el *caput mortuum*, la "cabeza muerta"
☠ que los alquimistas identificaron con la cabeza de Osiris.[19] Se nos
recuerda aquí que ק significa "la parte posterior de la cabeza".

Está en contraste con el Atu XIX, El Sol, que es ר, que significa
"cabeza." ר es el rostro revelado, el orbe solar a plena vista. Pero
ק es la cara oculta, la parte posterior de la cabeza, el orbe solar en
eclipse, por lo tanto, la oscuridad.

El *Nigredo* está conectado directamente con las operaciones de
Mortificatio y *Putrefactio*, ambas repletas de emblemas de muerte
y decadencia, precursores del cambio.[20] Esto también se indica en
la carta del Tarot por la forma dual del dios chacal Anubis, el
embalsamador de Osiris. El paso por el *Nigredo* es esencial antes de
que el candidato pueda experimentar el *Albedo* o blanqueamiento,
representado por la elevación del Sol. En términos psicológicos, el
Nigredo equivale a la confrontación con la Sombra, los aspectos

---

17　*Liber LXV*, II:33–34.

18　El proceso Alquímico tiene tres fases: Nigredo (ennegrecimiento), Albedo
(blanqueamiento) y Rubedo (enrojecimiento). Estas fases corresponden igualmente
a las tres Órdenes de A∴A∴, la G.D., la R.R. et A.C. y la S.S.

19　El símbolo alquímico para el Caput Mortuum era ☉ que también significaba
"residuo".

20　*Mortificatio* y *Putrefactio* son atributos de Atu XIII, "La Muerte," astrológi-
camente Escorpio.

negativos de la personalidad. En el lenguaje de nuestro sistema, podríamos decir que el dios negro Osiris debe contemplar su propio reflejo en este espejo mágicko. Todos nosotros debemos estar cara a cara con los aspectos oscuros de nuestro carácter antes de que podamos realizar el Opus y transmutar el Plomo sin valor en Oro. Para lograr esto se requiere el paso a través de las "puertas de la oscuridad", el paso del Sol de Medianoche.[21] Crowley llamó a Atu XVIII "la Puerta de la Resurrección".[22]

Como se ha señalado anteriormente, esta experiencia no es la misma para todos, ni se experimenta en alguna etapa particular en el proceso iniciático. No hay certeza sobre este punto. Es posible que un buscador pueda experimentar la Noche Oscura antes de la experiencia central del Neófito. Lo que podemos decir con certeza es que el *Nigredo* vendrá. Es Apep quien deifica a Asar.[23]

Es precisamente en esta etapa que es aún más esencial perseverar en sus prácticas y devociones diarias. Aferrarse fuertemente a la tarea asignada requiere más que el rechinar de los dientes en la mayoría de los casos. Uno es asaltado por todas las "asechanzas del Diablo," para hablar metafóricamente, y las tentaciones presentadas parecerán bastante cuerdas en ese momento, y a menudo son más que deseables. La práctica elegida se considerará totalmente inútil; quizás otra sería más eficaz. La dilación no solo es justificable debido a otras demandas, es deseable. Uno puede ser conducido a creer que continuar en la práctica le volverá loco. Mejor aún, abandone la Gran Obra por completo ya que es tan tediosa y uno tiene tan poca esperanza de lograrlo. Aún más insidioso es el señuelo de que la "sequedad" es parte de un "gran logro"; sí, ¿por qué no? Esta intolerable negrura del alma es la ordalía del Abismo, y más que un humilde Neófito, ¡el aspirante es verdaderamente un Maestro del Templo! Las variedades son infinitas, y todas son mentiras.

---

21 Esto no debe confundirse con las Puertas de Binah y la tarea del Bebé del Abismo. Aquí estamos tratando con un misterio menor que pertenece al trabajo del Colegio Externo.

22 Crowley, *El libro de Thoth*, p. 111.

23 *Liber LXVI*, I:1. Cf. *Liber LXV*, IV:24–26 y V:57.

No puedes confiar en el Intelecto para pasar por este período; no puedes usar la razón para salir de él. La facultad que forma el ego es precisamente lo que está siendo amenazado por el proceso Iniciáti-co, y el Ruach tensará la correa para romper el asimiento y escapar del destino que le espera.

La mejor manera de tener éxito en este esfuerzo es acoger la práctica de *Vairagya*, que esencialmente significa "no-apego" o "in-diferencia."[24] Uno debe desarrollar una completa indiferencia hacia el trabajo, pero nunca vacilar de la práctica continua. Cualquier tipo de deseo debe ser puesto a un lado. No debe importar si tienes éxito o no; no debe tener consecuencias. Si usted sigue siendo un Neófito para el resto de su vida, no debe marcar ninguna diferencia. Trabaje sin lujuria por el resultado. Si la práctica te vuelve loco, entonces tendrás que volverte loco, pero la práctica continuará en el mani-comio. Si el mismo Diablo te dice que Dios quiere hablarte cara a cara, debes ignorarlo y decirle que no estás interesado, tienes una práctica que hacer. Y si eso te condena al infierno para la eterni-dad, entonces debes estar dispuesto a ir al infierno sin importarte un bledo. Esto no puede ser una indiferencia fingida, porque eso solo sería como vestir a una mona de seda. Debe ser una verdadera indi-ferencia, y solo con esfuerzo continuo se logrará. Entonces, cuando el velo finalmente se levante, se ve que la nube oscura ha sido una ilusión durante todo este tiempo; Khephra te habrá llevado a través de la Medianoche hasta el Amanecer.

> Además yo vi una visión de un río. Había una pequeña barca sobre él; y en ella bajo velas púrpuras había una mujer dorada, una imagen de Asi tallada en oro finísimo. También el río era de sangre, y la barca de acero resplandeciente. Entonces yo la amé; y, soltándome el cinto, me arrojé al flujo. Yo mismo me subí en la pequeña barca, y por muchos días y noches yo la amé, quemando bello incienso ante ella. Sí! yo le di de la flor de mi juventud. Pero ella no se animó; solo por mis besos yo la ensucié de manera que ella tornóse negrura ante mí. Mas yo la veneré, y le di de la flor de

---

24 Vairagya es lo opuesto a Raga, "apego". La práctica del Vairagya es casi esen-cial para las prácticas del Yoga desde el principio.

mi juventud. También vino a suceder, que por eso ella enfermó, y se corrompió ante mí. Yo casi me lancé al flujo. Entonces en el final designado su cuerpo era más blanco que la leche de las estrellas, y sus labios rojos y tibios como el ocaso, y su vida de un calor blanco como el calor del sol de medio día. Entonces ella se alzó desde el abismo de Antaños de Sueño, y su cuerpo me abrazó. Totalmente yo me fundí con su belleza y estuve alegre.[25]

Un Pavor a la Oscuridad

El psicólogo analítico Edward Edinger hace la siguiente observación:

> Incluso si es causado por la sabiduría de Dios, el ennegrecimiento o eclipse del sol sigue siendo una experiencia temerosa. De hecho, el miedo está proverbialmente ligado a la sabiduría en el dicho: "El temor del Señor es el principio de la sabiduría" (Prov. 1,7)[26]

La expresión un tanto arcaica "temeroso de Dios" se refiere específicamente a alguien que es reverente o respetuoso de lo divino. Dos de las definiciones de "temor" son de hecho "asombro" y "reverencia". Este tipo de temor es bien conocido por cualquiera que haya experimentado la presencia del Santo Ángel Guardián.

> Sigue estas mis palabras.
> Teme nada.
> Teme nada.
> Teme nada.
> Pues yo soy nada, y a mí tú temerás [27]

En su comentario sobre el Atu XVIII en *El libro de Thoth*, Crowley declaró: "Esto es lo que está escrito de Abraham en *El libro del*

---

25 *Liber LXV*, II:7–14.

26 Edinger, *Anatomy of the Psyche*, p. 158.

27 *Liber LXVI*, 57–59.

Comienzo: 'el pavor de una grande obscuridad cayó sobre él.'"[28] ¿Qué quiere decir exactamente con esto? Primero, el "Libro del Comienzo" se refiere a Génesis, donde en el capítulo 15 encontramos el relato de la Alianza Abrahámica. Para entender el significado preciso de Crowley, es necesario elaborar.

El nombre original de Abraham era simplemente Abram, escrito en hebreo como אברם. Dios se había revelado a Abram como *El Elyon*, אל עליון, "el Altísimo Dios," prometiendo a Abram que, aunque no tenía hijos y era de edad avanzada, tendría un heredero que saldría de sus propias entrañas.[29] El Señor tomó a Abram y dijo:

> Mira ahora á los cielos, y cuenta las estrellas, si las puedes contar.
> Y le dijo: Así será tu simiente.[30]

Abram creyó la Palabra del Señor, y contóselo por Justicia. A la caída del sol sobrecogió el sueño a Abram,

> y he aquí que el pavor de una grande obscuridad cayó sobre él.[31]

En la noche de esa gran oscuridad, Dios hizo su Alianza con Abram. Varios años después, cuando Abram tenía noventa y nueve años, Dios volvió y Se reveló como *El Shaddai*, אל שדי, "Dios Todopoderoso"[32] En esta forma de *El Shaddai*, Él cambia los nombres de Abram (אברם) y su esposa Sarai (שרי) a Abraham (אברהם) y Sarah (שרה)[33] y reafirma la promesa de que les nacería un hijo. La recién

---

28 Crowley, *El libro de Thoth*, p. 113.

29 Génesis 14,18–24, 15,1–4 (RVA)

30 Ibíd., 15,5.

31 Ibíd., 15,12.

32 El nombre completo שדי אל חי Shaddai El Chai, "Dios Todopoderoso y Siempre- Viviente" está asignado a Yesod de Assiah, y el nombre significa Dios como Pangenetor.

33 La Yod es removida del nombre de Sarai, y luego la letra Heh es agregada a ambos nombres. La combinación de ambos nombres antes y después de este cambio, tiene el mismo valor numérico: שרי + אברם = 243 + 510 = 753. שרה + אברהם = 248 + 505 = 753.

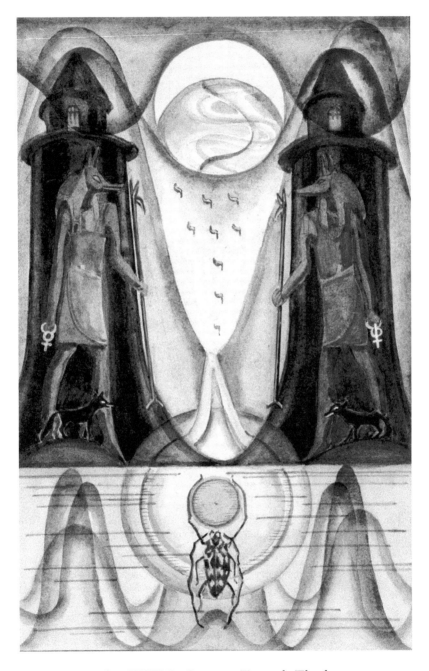

Atu XVIII La Luna — Tarot de Thoth

nombrada Sara tuvo una reacción a esta noticia que uno podría esperar de una mujer que tenía casi noventa años. Ella se rio. La versión española del Génesis de la Reina Valera Antigua da una explicación en la redacción arcaica de la época:

> Y Abraham y Sara eran viejos, entrados en días: á Sara[h] había cesado ya la costumbre de las mujeres.[34]

Había "*cesado ya la costumbre de las mujeres.*" En otras palabras, ya no menstruaba. El personaje de Sarah en este drama corresponde directamente a Atu XVIII, La Luna. Esta carta representa esa fase de la feminidad que Crowley, en apariencia poco caritativo, llamó "la bruja".[35] Ella es la mujer estéril, cuya sangre menstrual ha dejado de fluir. El ciclo lunar que asegura el potencial para la vida ha cesado. La descripción del Triunfo del Tarot en *El libro de Thoth* da una pista directa de esto.

> Vemos un sendero o arroyo, suero teñido con sangre, que fluye desde un hueco entre dos montañas estériles; nueve gotas de sangre impura, con forma de gota como Yods, caen sobre él desde la Luna.[36]

Ahora, uno puede mirar esta representación gráfica de una de dos maneras: el vaso puede estar medio-vacío, o medio-lleno dependiendo de su punto de vista. La corriente se está secando, o está comenzando a mostrar signos de Vida. La redacción específica utilizada para describir esta corriente nos da la pista: "suero teñido

---

34 Génesis 18, 11 (RVA).

35 Crowley, *777 And Other Qabalistic Writings*, p. 121. Crowley no estaba siendo grosero, sino refiriéndose a un motivo místico más amplio que incluye figuras como Kundry o Baba Yaga. Cf. *Quadrant*, Vol. 12, No. 2, Philip T. Zabriskie, "The Loathly Damsel Motif of the Ugly Woman" donde se examina este motivo. Zabriskie señala que el arquetipo de "la mujer fea puede convocar a una tarea de vida; ella puede traer, o encarnar, un llamado." (p. 61).

36 Crowley, *The Book of Thoth*, p. 112.

con sangre". Esto no indica la menopausia, sino *el comienzo de la menstruación*. Viene como el sonido del goteo de agua dando vida, donde uno anticiparía oír solamente el aullido del viento seco sobre el polvo.

Dios había hecho una Alianza con Abraham de que el vientre estéril de Sarah brotaría a la vida, y que ella le daría un heredero a pesar de sus años avanzados y en contra de toda la lógica. Y esto sucedió según la promesa del Señor. Según la leyenda, Sara tenía noventa años y Abraham tenía cien años cuando nació su hijo Isaac.

Ahora, dentro del texto de este mito yace una lección importante que es directamente aplicable a esta exposición. Los aspirantes a la A∴A∴ que han jurado el Juramento para lograr y servir al género humano, han forjado una Alianza que se cumplirá con el tiempo. Incluso en la hora más oscura, cuando toda esperanza se pierda y el anhelo espiritual parezca haberse secado, la perseverancia a la Tarea será recompensada. De estos posos el Elixir de la Vida será destilado.

Que Kheph-Ra suene su zumbido fragmentado! que los chacales del Día y Noche aúllen en el desierto del Tiempo! que las Torres del Universo se tambaleen, y los guardianes se marchen apresuradamente! Pues mi Señor a Él Mismo ha revelado como una poderosa serpiente, y mi corazón es la sangre de Su cuerpo.[37]

---

37 *Liber LXV*, IV: 26.

CAPÍTULO 5

צ

CHRISTEOS LUCIFTIAS

Yo contemplo un pequeño orbe obscuro, rodando en un abismo de espacio infinito. Es minúsculo entre una miríada de vastos, obscuro en medio de una miríada de radiantes. Yo que comprehendo en mí mismo todo lo vasto y lo minúsculo, todo lo radiante y lo obscuro, he mitigado el brillo de mi esplendor inexpresable, emitiendo a V.V.V.V.V. como un rayo de mi luz, como un mensajero a ese pequeño orbe obscuro.

Liber X, 1–2

Como saben los estudiantes del Tarot Thelémico, antes del advenimiento del Nuevo Eón, la letra hebrea Tzaddi se atribuía al Atu XVII, La Estrella. Una de las revelaciones sorprendentes asociadas con *Liber CCXX* implicó el cambio de atribuciones entre las letras צ y ה, esta última antes atribuida al Emperador, Atu IV. Sería suficiente si esta revelación no nos diera más que la simetría perfecta del Tarot y atestiguara la fuente preter-humana del *Liber CCXX*. Para quienes han estudiado este problema en profundidad, es incomparable en simplicidad y belleza. Sin embargo, hay más que esto. Indica un punto vital de la doctrina que ha sido, y aún permanece, celosamente guardado. Es esta doctrina subyacente la que verdaderamente se "revela a los sabios", y no las correspondencias que la protegen y, en última instancia, sirven para revelarla. El propio Crowley nunca pudo discutir esto abiertamente en forma

Figulina IXΘΥΣ

impresa, porque estaba atado por cierto Juramento que toca directamente el misterio central. Incluso con respecto a aquellas cosas que no estaban sujetas a Juramento, permaneció en silencio en su mayor parte.

No es de extrañar que el simbolismo de la Estrella esté tan directamente involucrado en un misterio doctrinal del Nuevo Eón. Todo hombre y toda mujer es una estrella, y el punto enfático de que el Khabs está en el Khu, y no al revés, es una piedra angular de la revelación Thelémica. Además, la palabra "estrella" en árabe, نجم = 93, centra nuestra atención en el significado de la palabra en sí, en relación con el Magnum Mysterium. En la revelación de este misterio debemos mirar no a la miríada de estrellas que componen la humanidad, sino a la naturaleza de una Estrella que reluce por encima de todas las demás en magnitud, y la relación de esa Estrella con el cambio en el sistema del Tarot.

Al balancear las atribuciones del Tarot, al cambiar Tzaddi y Heh, uno debe preguntarse por qué Crowley no cambió los numerales romanos de los Triunfos como se hizo con el Atu VIII (ל) y Atu XI (ט). Si hubiera seguido el mismo procedimiento, La Estrella

Anillo del Pescador

habría recibido el número IV además de ‎צ‎, y El Emperador el número XVII junto con ‎ה‎. Sin embargo, ambos Triunfos en cuestión aún conservan sus numerales romanos originales. La implicación es que los números *atribuidos como tal* tienen una importancia vital.

Además, dado que las atribuciones astrológicas no están involucradas en este intercambio, se hace evidente que el significado yace en las letras hebreas mismas. Debemos preguntarnos por qué Tzaddi no puede representar efectivamente a La Estrella en el Nuevo Eón.

El Anzuelo y el Pescador

La letra hebrea Tzaddi ‎צ‎ significa "un anzuelo." Esto se refiere a la forma gráfica de la letra ‎ן‎ del hebreo antiguo que representaba un anzuelo arcaico. Varios versículos del Antiguo Testamento muestran que la pesca con anzuelos se practicaba ampliamente en la antigüedad. Una única referencia en el Nuevo Testamento en Mateo 17,27 indica el uso de un anzuelo cebado. El uso de anzuelos para pescar precede incluso al dominio de la metalurgia que permitió el desarrollo del anzuelo de púas.

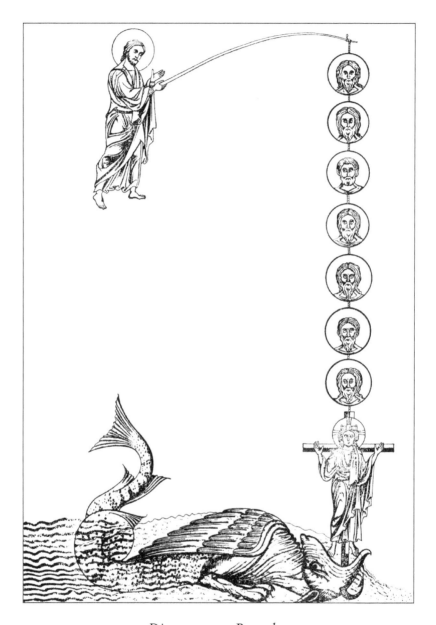

Dios como un Pescador

La propia palabra Tzaddi parece estar relacionada con la pesca como un aspecto de la caza. La raíz צדה significa "estar al acecho." La palabra צדי significa "adversario," de la raíz צדד "ser adverso."[1] El anzuelo es una de las armas principales del pescador y está directamente vinculado al simbolismo del propio pescador, así como al del pez. La adopción más predominante de estos motivos ocurre con el surgimiento del cristianismo.

Antes de la época del teólogo cartaginés Tertuliano[2], el acróstico Ιησοῦς Χριστὸς Θεοῦ Ὑιὸς Σωτήρ "Jesucristo, Hijo de Dios, Salvador," por ΙΧΘΥΣ "pez," era bien conocido. En su comentario sobre Mateo, el maestro cristiano Orígenes[3] llamó a Jesús "el que figuradamente es llamado pez." Además, durante este período temprano la pila bautismal se llamaba *piscina*, "estanque de peces." Los arqueólogos han encontrado pequeñas figulinas de peces que datan de principios del siglo II y se cree que fueron utilizadas por los primeros cristianos para identificarse entre sí. Todo esto sugiere, naturalmente, que los creyentes eran peces. El mismo Tertuliano escribió: "Pero nosotros, pobres peces, que seguimos a nuestro ΙΧΘΥΣ, Jesucristo, nacemos en el agua, y no somos salvos si no permanecemos en el agua."[4]

En otra inscripción que data del siglo IV, los creyentes son llamados "descendientes divinos del pez celestial"[5]. San Damián (m. 1072) describió a los monjes como peces, "porque todos los hombres piadosos son pequeños peces que saltan en la red del Gran Pescador."[6]

---

1   *Gesenius' Hebrew and Chaldee Lexicon*, p. 701.

2   Circa 160–230 e.v.

3   Circa 185–254 e.v.

4   Trans. C. Dodgson, *Tertullian*, Vol. I, *Library of Fathers of the Holy Catholic Church*, p. 256.

5   Franz Josef Doelger, ΙΧΘΥΣ *Das Fischsymbol in frühchristlicher Zeit*. Vol. I, pp. 12 ff.

6   Citado por Jung, *Aion*, p. 113.

ΟΡΦΕΟΣ ΒΑΚΚΙΚΟΣ

Esta identificación con el pez es de hecho sugerida por los evangelios, como en Mateo 4,19 donde Jesús desea hacer a Pedro y Andrés "pescadores de hombres." Jesús usó la "pesca milagrosa" de Lucas 5, 4–10 para indicar la misión de Pedro. Incluso hoy en día, el anillo del Papa se llama "El Anillo del Pescador", porque lleva la imagen de Pedro como pescador.[7]

Un himno alejandrino del siglo II describe a Jesús mismo como un atrapador de hombres:

¡Pescador de hombres, a quien traes a la vida!
    del malvado mar del pecado

---

7   El anillo papal llamado Anillo del Pescador (*annulus piscatoris*) afirma su investidura y se coloca en su dedo inmediatamente después de la elección. El anillo es destruido tras su muerte.

y de la contienda ondulante
que recoge peces puros,
atrapados con el dulce cebo de la vida.[8]

Una variación de este tema aparece en una cita atribuida a San Cipriano que dice:

Como un pez que se lanza a un anzuelo cebado, y no solo no agarra el cebo junto con el anzuelo, sino que él mismo es sacado del mar; así el que tenía el poder de la muerte en verdad arrebató el cuerpo de Jesús hasta la muerte, pero no observó que el anzuelo de la Deidad estaba escondido en él, hasta que lo devoró; y luego quedó fijado a él.[9]

Carl Jung señaló que este motivo es bastante similar a la tradición judía de que el Leviatán será capturado por el pescador Mesías y servido como un festín para el banquete mesiánico. En esta cita, la figura de Leviatán se identifica con la muerte o el diablo. El "dulce cebo de la vida" es representado gráficamente en un manuscrito del siglo XII que representa a Dios con una caña de pescar, el séptuple linaje de David decorando su sedal, la cruz como anzuelo y Jesús como cebo.[10] El mismo motivo se encuentra en la leyenda de la fuente de Hera (en la época cristiana identificada con la Virgen María) que se decía que contiene el único pez (μόνον ἰχθύν) que fue capturado por el "anzuelo de la divinidad" y "alimenta a la totalidad del mundo con su carne." Asimismo, una inscripción de Hierópolis en Siria describe el "pez capturado por una virgen pura" como "nutrición bendita", por lo que se entiende "alimento eucarístico", que por supuesto es el cuerpo de Jesús.[11]

---

8   Trad. W. Wilson, *Writings of Clement of Alexandria*, Vol. I, p. 344.
9   Citado por Jung, *Aion*, p. 112, nota 38.
10 G. Keller y A. Straub (Trad.) Herrad von Landsberg *Hortus deliciarum*.
11 Julius Baum, "Symbolic representations of the Eucharist," *The Mysteries*, pp. 267–268.

Los conceptos del motivo pez/pescador que claramente evolucionaron en círculos "paganos" fueron adoptados sin dudar por los cristianos a pesar de sus ecos de ideas absolutamente no cristianas. Un ejemplo de ello es la leyenda de Orfeo. El nombre de Orfeo se deriva del nombre de un pez,[12] lo que le da el significado de "pescador."[13] Esto es significativo porque la mitología de Orfeo es la de otro dios-hombre que sufre la muerte en circunstancias trágicas, lo que refleja la leyenda de Zagreo (Dionisio) en particular, y el motivo del dios moribundo en general. Se vuelve aún más notable porque Jesús se identifica más tarde con Orfeo, siendo llamado el "verdadero Orfeo" que redime a su novia de las profundidades del Hades.[14] Una representación temprana de la crucifixión apoda a Jesús ΟΡΦΕΟΣ ΒΑΚΚΙΚΟΣ.[15] Un himno tan tardío como el siglo XII repite este tema:

> Como antaño la serpiente de bronce
>   a Israel trajo salvación
>   acaso mueran en manos del faraón,
>   por lo que su esposa, nuestro Orfeo levanta
>   del abismo, y la coloca
>   en su asiento real en lo alto.[16]

---

12 Derivado de ὀρφώς, "gran perca de mar," *epinephelus gigas*. Liddell y Scott, *A Greek-English Lexicon*, p.1258A.

13 Robert Eisler, *Orpheus the Fisher*, pp. 6ff.

14 Hugo Rahner, "The Christian Mystery and the Pagan Mysteries," *The Mysteries*, p. 379.

15 Correctamente, Ὀρφεὺς Βακχικός. Este amuleto de anillo-sello está fechado en el siglo III o IV a. C. Su autenticidad como un artefacto de una secta gnóstica que exhibe un sincretismo de simbolismo órfico y cristiano ha sido cuestionada principalmente porque no hay otros ejemplos contemporáneos de motivos similares. Independientemente de si el amuleto es más reciente que el siglo IV, fue creado por alguien que visualizó una similitud entre Cristo y Orfeo, que es un vínculo arquetípico, independientemente del tiempo.

16 Hugo Rahner, "The Christian Mystery and the Pagan Mysteries," *The Mysteries*, p. 379.

Por último, está la figura del Rey Pescador en la leyenda celta del Grial. El Rey Pescador, que es el guardián del Grial, sufre de una enfermedad perpetua, no estando ni vivo ni muerto, sino suspendido en un estado entre la vida y la muerte, hasta que el misterio del Grial sea revelado al hombre mortal. Cuando se revele este misterio, solo entonces el Rey Pescador volverá a la vida y la tierra baldía volverá a ser fértil. A pesar de sus insinuaciones paganas, la esencia de este tema pasa a ser la de Jesucristo, herido por los pecados de la humanidad, redentor del mundo.

A la vista de estos hechos, cabe preguntarse qué provocó en verdad la activación repentina del simbolismo del pez y el pescador y la auto-identificación de la nueva secta cristiana con los diversos componentes de ese motivo. La tenacidad de esta identificación y su característica perdurable es sintomática de una realidad psíquica que se impone a la conciencia de los creyentes cristianos, más que un acto consciente de asociación deliberada. Es muy poco probable que ΙΧΘΥΣ no sea más que un anagrama inteligente y que el emblema del pez fuera simplemente un código secreto de identificación durante el período de persecución. La identificación del Mesías con el pez y el cordero son asociaciones arquetípicas que se desarrollaron desde el inconsciente del hombre de forma independiente. Claramente, el significado astrológico de estos símbolos era bien conocido. Los astrólogos de los siglos I y II estaban al tanto de la procesión celestial que había trasladado el punto de primavera de la constelación de Aries a la del pez Piscis. Para la mente antigua, esta no era la fuente de estos temas míticos, sino más bien la confirmación de su validez. Jung escribe:

Sobre todo, son las conexiones con la edad de los peces que están atestiguadas por el simbolismo del pez, ya sea contemporáneamente con los evangelios mismos ("pescadores de hombres", pescadores como los primeros discípulos, milagros de panes y peces), o inmediatamente después en la era post-apostólica. El simbolismo muestra a Cristo y a los que creen en él como peces, los peces como alimento que se come en el Ágape, el bautismo como inmersión en un estanque de peces, etc. A primera vista, todo esto

La Estrella (Bembo)

apunta a nada más que el hecho de que los símbolos de los peces y los temas míticos que siempre han existido habían asimilado la figura del Redentor; en otras palabras, era un síntoma de la asimilación de Cristo al mundo de las ideas imperantes en ese momento. Pero, en la medida en que se considerara a Cristo como el nuevo eón, cualquier persona familiarizada con la astrología tendría claro que nació como el primer pez de la era de Piscis y estaba condenado a morir como el último carnero (ἀρνίον, cordero) de la era de Aries en declive.[17]

---

17   Jung, *Aion*, p. 90.

No es casualidad que Tzaddi, el anzuelo, arma del pescador, sea transferido a la carta del Tarot a la que está asignado Aries. Los símbolos del pez en relación con el Mesías han sido reemplazados con la llegada del Eón del Niño. Por otro lado, el símbolo de la Estrella, que tradicionalmente se ha asociado con el Mesías, todavía mantiene ese significado en este Eón, y allí hay un gran misterio.

La Estrella del Mesías

Desde la antigüedad, el nacimiento de una persona eminente se ha identificado con el alzamiento de una estrella. Esta no es solo una tradición común entre los judíos sino en todo el Próximo Oriente. La venida del Mesías siempre se ha asociado con una estrella. El paradigma del Antiguo Testamento se encuentra en el Libro de los Números:

> Verélo, mas no ahora: Lo miraré, mas no de cerca: Saldrá estrella de Jacob, Y levantaráse cetro de Israel...[18]

Esta relación con el Mesías es un ejemplo de la estrella como emblema de esperanza. Según el Zohar, la llegada del Mesías sería anunciada por una estrella que se eleva desde el Este y se traga siete estrellas en el Norte.[19] Una estrella fija aparecería en medio del firmamento y sería visible durante setenta días. Tendría setenta rayos y estaría rodeada por otras setenta estrellas.[20]

En el Testamento apócrifo de Leví se predijo que la estrella del Mesías "se levantaría en el cielo como un rey, iluminando la luz del conocimiento como el sol del día."[21] Asimismo, el Testamento apócrifo de Judá dice: "Y después de estas cosas, una estrella os saldrá de Jacob en paz."[22]

---

18 Números 24,17 (RVA).

19 *El Zohar*, I, 119a.

20 *El Zohar*, III, 212b.

21 Charles, *Apocrypha & Pseudepigrapha of the O.T.*, Vol. II, p. 314.

22 Ibíd., p. 323. Ambos pasajes están en deuda con Números 24:17.

En el evangelio de Mateo los Magos aparecen en Jerusalén buscando al nuevo Mesías, diciendo "porque su estrella hemos visto en el oriente, y hemos venido a adorarlo."[23] Saliendo de Jerusalén, "la estrella que habían visto en el oriente, iba delante de ellos, hasta que llegando, se puso sobre donde estaba el niño. Y vista la estrella, se regocijaron con muy grande gozo."[24]

El Protoevangelio no canónico de Santiago da un relato más vívido de esta Estrella, describiéndola como "una estrella indescriptiblemente grande" que resplandecía entre las estrellas del cielo, y eclipsaba tanto a todas las otras estrellas, que ya no eran visibles.[25]

En la tradición de la Masonería, la Estrella Flamígera que guio a los Magos es la imagen que se encuentra en todas las iniciaciones [26] y anuncia el "nacimiento del Sol."[27]

Los alquimistas, que se basaron en gran medida en las escrituras y las interpretaban intuitivamente de acuerdo con su propio genio más que literalmente, significaban la Quintaesencia por esta misma Estrella ✳, el emblema esteganográfico de *Sal Armoniacum*, o "Sal de la Armonía." Se dice que la fase *nigredo* de la Obra termina con la aparición del "aspecto estrellado", comparado con "el cielo nocturno que les dijo a los pastores y reyes que había nacido un niño en Belén."[28] Entonces aparece el "Mercurio de los Sabios."

Una de las representaciones más antiguas de la Carta del Tarot que existen, pintada por Bonifacio Bembo en el siglo XV, muestra a una mujer sosteniendo una Estrella de ocho puntas, idéntica en todos los aspectos al emblema alquímico de *Sal Armoniacum* ✳. Otra carta, atribuida a Antonio di Cicognara del siglo XV, muestra a una mujer coronada que sostiene el emblema idéntico.[29] Las imágenes asociadas con Acuario que adornan todas las representaciones posteriores de La Estrella no están presentes. Esta y otras pruebas de

23   Mateo 2,2 (RVA).

24   Ibíd., 2, 9–10.

25   Edgar Hennecke, *New Testament Apocrypha*, Vol. I, p. 386.

26   Albert Pike, *Morals and Dogma*, p. 842.

27   Ibíd., p. 787.

28   Stanislas Klossowski de Rola, *Alchemy*, p. 11.

29   Richard Cavendish, *The Tarot*, p. 126.

la influencia Alquímica en el desarrollo del Tarot son convincentes. Estas ilustraciones sugieren que, en las primeras etapas, el componente más importante de esta carta es el emblema de la Estrella, y la Estrella no es otra que la del Mesías.

El Mercurio Fijo

He escrito bastante sobre el motivo del Mesías tal como se expresa en la literatura cristiana, ya que esta es la *imago* que predomina en la conciencia del hombre occidental. Se puede decir con seguridad que la persona común y corriente es totalmente inconsciente de las sutilezas incorporadas en la figura. Tampoco es de conocimiento común que la imagen de Cristo aparezca en varias formas fuera de la literatura judeocristiana, y que los místicos cristianos como los alquimistas, entre otros, identificaran a Cristo con una serie de atributos completamente no cristianos. El carácter del Mesías como "el ungido,"[30] "Con nosotros Dios,"[31] es un arquetipo universal que es reconocible a pesar de los muchos rostros y los diversos nombres que acompañan su aparición a lo largo de la historia. El propio Cristo del cristianismo ha degenerado en una figura apenas identificable e incuestionablemente despojada de todas las pretensiones de divinidad debido a la negativa de los cristianos a aceptar la *Imago Dei* como símbolo de la integridad espiritual, que abarca tanto la oscuridad como la luz. Sin embargo, como dijo Horacio: "Podrás expulsar a la naturaleza con un tridente; ella regresará enseguida"[32] Por lo tanto, no es sorprendente que el arquetipo de Cristo resurja constantemente a lo largo de los últimos veinte siglos vistiendo su ropa pagana, proclamando sus atributos universales y tratando de reclamar el lugar que le corresponde.

---

30 χριστός "Cristo," literalmente "el ungido" < χρίω "consagrar," i.e. "ungir (con aceite)," de lo cual también χρίσμα "dotación" (i.e. crisma). Asimismo, en hebreo משיח, "ungido" (Mesías) < משח "consagrar" i.e. "ungir" (con aceite).

31 Hebreo עמנאל "Con nosotros Dios," dado como "Emmanuel" (Ἐμμανουήλ) en Mateo 1:23.

32 *"Naturam expellas furca, tamen usque recurret."*

En la literatura de la Orden Hermética de la Golden Dawn, una visión astral titulada *La Visión del Mercurio Universal*[33] relata la aparición de un dios con "una forma como Mercurio de los griegos" que gritó en voz alta y dijo: "Soy Hermes Mercurius, el Hijo de Dios. . ." Esta figura también llevaba un pergamino en el que estaba escrito *Lumen est in Deo, Lux in homine factum*, "La luz está en Dios, la luz ha sido hecha en el hombre". La visión termina con las siguientes frases en latín:

Christus de Christo.	"El Cristo a partir del Cristo."
Mercurius de Mercurio.	"Mercurio a partir del Mercurio."
Per viam crucis.	"Por el sendero de la cruz."
Per vitam Lux.	"Por la vida de la Luz."
Deus te Adjutabitur!	"¡Dios será tu ayuda!"

Estas frases finales en forma de invocación fueron pistas para "fijar lo volátil", destilar y transmutar la imagen fugaz de Mercurio en un Mercurio constante (es decir, *consciente*). *Christus de Christo* y *Mercurius de Mercurio* formularon una instrucción para extraer el verdadero Cristo del Cristo común, el Mercurio fijo del Mercurio volátil a través del régimen de ♄ (el sendero de la Cruz) y LVX (i.e. LXV = 65 = אדני).[34]

A pesar de la auto-identificación absolutamente inequívoca de Mercurio como "el Hijo de Dios" y una referencia directa a Cristo, el Adepto que registró *La Visión del Mercurio Universal* no notó la equivalencia o guardó silencio deliberadamente sobre el asunto. Es posible, pero no probable, que no se hubiera establecido una conexión consciente. Este documento estaba en posesión de Crowley y él lo estudió mucho antes de la recepción de *Liber 415, "Operación de París."*[35]

---

33 Regardie, *The Golden Dawn*, 5.ª ed., pp. 476–478.

34 Esta es la invocación en latín mencionada en el Opus II del *Paris Working*. Crowley afirmó no haber entendido nunca su significado.

35 Hay claros ecos de *La Visión del Mercurio Universal* en la visión de Crowley del 29.º Éter que dice, "Lux in Luce, Christus in Cruce, Deo Duce, Sempertino."

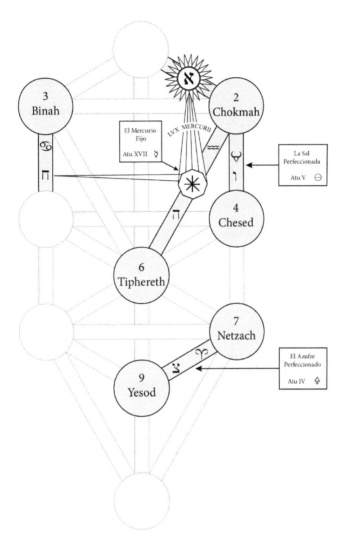

Mercurius de Mercurio

Crowley menciona específicamente *La Visión del Mercurio Universal* inmediatamente antes de escribir, "Esto es absolutamente nuevo

---

Sin embargo, Crowley agrega que estas palabras probablemente son inexactas o incompletas.

para mí, esta concepción de Cristo y Mercurio."[36] Si le tomamos la palabra, parece que al igual que Frater S.R.M.D. (S.L. Mathers), él no admitió conscientemente el mensaje del dios hasta que el *Opus II* del *Operación de París* lo trajo a la conciencia:

> En el Principio era la Palabra, el Lógos, quien es Mercurio; y por tanto ha de identificársele con Cristo. Ambos son mensajeros; los misterios de su nacimiento son similares; las bromas de su niñez son similares. En la Visión del Mercurio Universal, se ve a Hermes descendiendo sobre el mar, el cual se refiere a María. La Crucifixión representa el Caduceo; los dos ladrones, las dos serpientes; el precipicio en la Visión del Mercurio Universal es Gólgota; María es simplemente Maia con la R solar en su vientre. . . . . compárese el descenso de Cristo al infierno con la función de Hermes como guía de los muertos. También Hermes conduciendo arriba a Eurídice, y Cristo resucitando a la hija de Jairo. Se dice que Cristo se alzó el tercer día, porque el Planeta Mercurio tarda tres días en volverse visible tras separarse del orbe del Sol. . . .
>
> Nótese Cristo como el Sanador, y también su propia expresión: "El Hijo del Hombre viene como ladrón en la noche". Y también esta escritura: (Mateo 24, 24-27): "Porque como el relámpago que sale del oriente y se muestra hasta el occidente, así será también la venida del Hijo del hombre."
>
> Nótese también las relaciones de Cristo con los cambistas, sus frecuentes parábolas, y el hecho de que su primer discípulo fuera un publicano, es decir, recolector de impuestos.
>
> Nótese también Mercurio como liberador de Prometeo.
>
> Una mitad del símbolo del Pez también es común a Cristo y Mercurio; los peces son sagrados a Mercurio . . . Muchos de los discípulos de Cristo eran pescadores y siempre estaba haciendo milagros en conexión con los peces.
>
> Piénsese también en Cristo como mediador: "nadie viene al Padre, sino por mí", y Mercurio como Chokmah "a través de quien, únicamente, podemos acercarnos a Kether."[37]

---

36   Crowley, "The Paris Working", Opus II. *Equinox*, IV:2, p. 359.

37   Ibíd., pp. 359–360.

Esta visión es un ejemplo práctico de la instrucción *Christus de Christo*. La instrucción subsiguiente, *Mercurius de Mercurio*, se proporciona en un extracto de la visión de Perdurabo del 6.º Éter que identifica claramente a la Estrella con el Mercurio Universal y, por lo tanto, al Cristo:

> sobre mí aparece el cielo estrellado de la noche, y una estrella más grande que todas las otras estrellas . Es una estrella de ocho rayos. Yo la reconozco como la estrella de la decimoséptima clave del Tarot, como la Estrella de Mercurio. Y la luz de ella viene del sendero de aleph. Y la letra cheth también está implicada en la interpretación de esta estrella, y los senderos de he y vau son las separaciones que esta Estrella une . . . Es como la visión del Mercurio Universal. Pero esto es Mercurio Fijo, y he y vau son el azufre y sal perfeccionados.[38]

Perdurabo recibió esta Visión antes de la revelación de que La Estrella se atribuye correctamente a Heh en lugar de a Tzaddi, de ahí la expresión de la oración final. Ahora entendemos que Heh es el Mercurio Fijo, mientras que Tzaddi (El Emperador) y Vau (El Hierofante) son el azufre y la sal perfeccionados. La Urna del Mago finalmente se forma a partir de este Mercurio Fijo. Además, el Mercurio Fijo se ha convertido en el sendero que une a Tiphereth con Chokmah, uno de los tres senderos que transmiten la influencia de las Supernas al centro de la experiencia humana.[39] En el Eón del Padre, el simbolismo del Mesías se atribuyó al sendero que unía a Netzach y Yesod, con una tendencia natural a degenerar en el sentimentalismo descuidado y la ilusión típica de la era de la Gracia.

Queda claro que el mensaje y la función del simbolismo mesiánico ha sufrido una transformación con el advenimiento del Eón del Niño. Allí, podemos comenzar a postular el propósito y la función del Mesías en este Eón, y con extrema cautela, desvelar la identidad de ese Mesías.

---

38 *Liber CDXVIII*, 6.º Éter.

39 Tiphereth es la única Sephira que recibe influencia de cada uno de las tres Supernas en el Árbol de la Vida. Todas las demás Sephiroth reciben solo un canal de influencia.

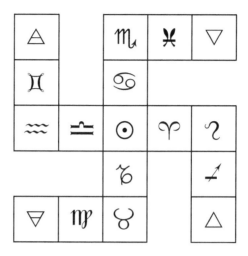

La Cruz Hermética

Fuego Fluídico

Desde el siglo XVI con la aparición del Tarot de Marsella, la figura predominante de Atu XVII ha sido representada como una mujer desnuda vertiendo agua de jarrones gemelos. Sobre la cabeza de la Mujer, se representa una gran Estrella rodeada de siete estrellas más pequeñas. Al fondo, un pajarito posado en un árbol. Esto está bellamente descrito en *Liber VII*:

> Solo un anzuelo de pescar puede tirarme fuera; es una mujer arrodillada junto al banco del arroyo. Es ella quien vierte el brillante rocío sobre ella misma, y a la arena para que el río engulla a borbotones.
>
> Hay un pájaro en aquel mirto; solo la canción de ese pájaro puede tirarme fuera de la charca de Tu corazón, O, mi Dios![40]

---

40 *Liber VII*, V:5–6. Es significativo que esta descripción comience con el versículo 5, el número de ה.

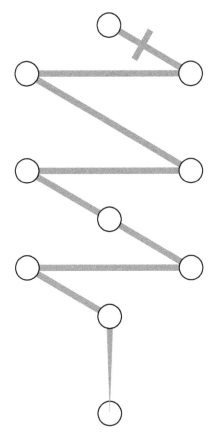

La Espada Flamígera

La antigua Orden Hermética de la Golden Dawn enseñaba que la gran Estrella era Sirio, principalmente porque el ascenso helíaco de Sirio después de un período de oscurecimiento de setenta días marcaba el comienzo de la inundación del Nilo en Egipto, de ahí una relación con Acuario, el portador de agua. Se decía que la Mujer misma era "Aima Elohim, derramando sobre la tierra las aguas de la creación, que se unen y forman un río a sus pies, el río que sale del Edén Superno, que fluye y no se agota."[41]

---

41 Hermetic Golden Dawn Philosophus Ritual. Regardie, *The Golden Dawn*, Vol. II, Book 2, p. 188.

La Serpiente de Bronce

El Río fluye y no se agota, sin embargo, puede cambiar de curso. En la Visión precediendo por cuatro años el Eón del Niño, existe el presagio de tal evento:

> Sellad el libro con los sellos de las Estrellas Ocultadas: pues los Ríos han confluido corriendo y el Nombre יהוה está roto en mil pedazos (contra la Piedra Cúbica).[42]

Los "Ríos" descritos en esta Visión son los cuatro ríos del Edén, los brazos del Río que "fluye y no se agota." Según la Qabalah

---

42 *Liber CDXVIII*, 30.º Éter.

dogmática del misticismo occidental, el río Naher se describía como fluyendo desde el Edén Superno hasta Daath, donde se dividía en cuatro, siendo los ríos Pisón (fuego) que desembocaba en Geburah, Gihón (agua) que desembocaba en Chesed, Hidekel (aire) que desembocaba en Tiphereth, y Phrath (tierra) que desembocaba en Malkuth. Después de la llamada "caída de Adán" Tetragrammaton Elohim colocó las cuatro letras יהוה entre el Jardín devastado y el Edén Superno. Los cuatro ríos formaron una Cruz sobre la cual el "segundo Adán" (Jesús) fue crucificado simbólicamente.

La junta de los Ríos descritos en *La visión y la voz* predice la aniquilación de la Cruz del Sufrimiento (el trono del Mesías cristiano) y la destrucción del Nombre de Jehovah que selló su establecimiento. La Piedra Cúbica contra la que se rompe el nombre de Jehovah tiene seis caras con doce líneas y ocho puntos, el total de los cuales es veintiséis, el balance de los elementos en el Tetragrammaton. Pero más que esto, *la Piedra Cúbica es el Trono del Emperador*.[43]

La Mujer de la Estrella vierte el rocío brillante sobre sí misma (ה final), y en la arena del Abismo maldito para que brote el río (ה prima). Por lo tanto, es *Anima Mundi* tal como es la Dama del Gran Mar. Se ofrece una pista de su verdadera identidad en "El mundo despierto":

> Entonces había otro pasaje que era en realidad demasiado secreto para cualquier cosa; todo cuanto puedo deciros es que estaba la Diosa más bella que jamás hubo, y estaba lavándose en un río de rocío. Si preguntáis qué está haciendo, dice: "Estoy haciendo rayos." Era solo luz estelar, y aun así uno podía ver bastante claramente, así que no creo que esté cometiendo un error.[44]

---

43 Cf. Papus, *The Tarot of the Bohemians*, pp. 119–121. El cubo se deriva de 4, el número del Triunfo. Algunas de las barajas del Tarot más antiguas muestran el trono cúbico de manera prominente.

44 *Konx Om Pax*, "El mundo despierto", p. 9.

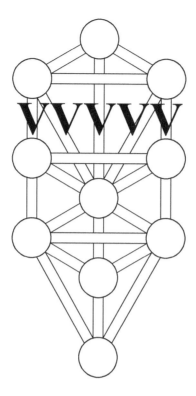

La Guarda de Agua

Según lo revelado por *Liber CDXVIII*, la luz de esa Estrella proviene del sendero de Aleph, y Aleph es el Rayo por su forma. Esto también lo indica *Liber CCXXXI*, que describe La Estrella de la siguiente manera:

> Transformada, la santa virgen apareció como un fuego fluídico, haciendo de su belleza un rayo.[45]

Qabalísticamente, el rayo se indica de dos maneras. Primero, el rayo se representa simbólicamente como la Cruz Fylfot o la Esvástica. Este emblema también se llama *La Cruz Hermética*. En esta forma,

---

45 *Liber CCXXXI*, 17. Tenga en cuenta que el sigilo del Genio de Tzaddi se compara con el del Genio de Aleph, y ambos representan la Esvástica, que es el Rayo.

el Rayo se compone de 17 cuadrados visibles de 25 que unen los cuatro elementos, los doce signos del Zodíaco y el Sol.

El Rayo es así 17, el número de La Estrella y IAO (יאו), por su forma Aleph, que es 1, por lo tanto, Kether, La Corona.

En otra forma, el Rayo se representa como La Espada Flamígera que es lanzada desde Kether para unir a las diez Sephiroth.

Este Rayo está equilibrado por La Serpiente de la Sabiduría que une los veintidós senderos de las Sephiroth desde el Reino hasta la Corona. La Serpiente de la Sabiduría es sinónima con la Serpiente de Bronce que Moisés levantó en el desierto como un Mesías prototípico.[46]

Juntos, La Espada y La Serpiente son 32, uniendo las 10 Sephiroth y los 22 senderos. También observamos que 32 es la numeración del Gran Nombre אהיהוה, el Nombre que combina אהיה y יהוה Microprosopus y Macroprosopus. En este Gran Nombre, Heh aparece tres veces, la letra de la Gran Madre, la letra correcta de La Estrella, que oculta las tres Letras Madre א, מ, y ש. Así se transforma el Gran Nombre de 32 a 358, el número del Mesías, משיח, La Estrella Flamígera, que también es נחש La Serpiente.

En el Eón del Niño, el Rayo es uno de los símbolos del Mesías, como se revela en los Libros Sagrados:

Bendito, bendito, bendito; sí, bendito; tres y cuatro veces bendito es el que haya logrado contemplar tu faz. Pues yo te arrojaré adelante desde mi presencia como un rayo giratorio para guardar los caminos, y a quien tú azotes será azotado de hecho. Y a quien tú ames será amado de hecho.[47]

---

46 Números 21,8–9. La Serpiente de Bronce se representa entrelazada alrededor de la Triple Cruz compuesta por el Pilar del Medio y los senderos recíprocos que unen a las Sephiroth. Por su forma, esta Cruz sugiere la Triple Cruz Papal, que estaba representada en formas más antiguas de Atu V, El Hierofante, anteriormente llamado "El Papa". Cf. Papus, *The Tarot of the Bohemians*, p. 123, y A.E. Waite, *The Pictorial Key to the Tarot*, p. 89.

47 *Liber CDXVIII*, 1.er Éter.

La Estrella del Mesías

No es el cielo estrellado sacudido como una hoja al trémulo rapto de vuestro amor? No soy yo la chispa voladora de luz arremolinada lejos por el gran viento de vuestro perfección?

Sí, clamó el Uno Santo, y de Tu chispa yo, el Señor, encenderé una gran luz; yo quemaré a fondo la ciudad gris en la tierra vieja y desolada; yo la limpiaré de su gran impureza. Y tú, O, profeta, verás estas cosas, y tú no las atenderás.[48]

Está escrito que él "guardará los caminos", porque la Espada Flamígera "que se revuelva á todos lados" está puesta al oriente de Edén para "guardar el camino del árbol de la Vida."[49] Como está escrito debajo del Trigrama ⚏ en Liber Trigrammaton:

---

48   *Liber LXV*, V:2–4.

49   Cf. Génesis 3, 24.

El maestro emitió su flama como una estrella y puso a un guarda de Agua en todo Abismo.[50]

Por la expresión "todo Abismo", debemos entender los cinco senderos cruzados por el Abismo, que unen a las Supernas con las Sephiroth inferiores: los senderos de ב, ה, ו, ז, y ח. Una "guarda de Agua" ▽ (también llamado el "Corazón de Sangre") puesto en cada sendero oculta y revela el Nombre:

De vez en cuando los Viajeros cruzan el desierto; vienen del Gran Mar, y al Gran Mar van.

A medida que avanzan, derraman agua; un día irrigarán el desierto hasta que florezca.

¡Ve! ¡cinco huellas de un Camello! V.V.V.V.V.[51]

La voz que sacudió la tierra

Aprendemos de una lectura cuidadosa de los Libros Sagrados de Thelema que el Mesías, o "el ungido", fue enviado a la Tierra como un mensajero, desde "los Antaños allende los Antaños" y desde el Espacio más allá de nuestra visión.[52] La Voz del Señor del Eón, hablando en el Versículo 2 del *Liber X* Lo describe como "un rayo de mi luz".[53] Ese "rayo de luz," la "chispa voladora de luz," es Él quien habla desde el Trono Invisible.[54]

Sobre piel antigua estaba escrito en letras de oro: Verbum fit Verbum.

---

50 *Liber XXVII.*

51 *Liber CCCXXXIII*, capítulo 42.

52 Ver *Liber X*, 1–4.

53 El número del versículo corresponde a Chokmah, la Palabra. El orador se describe a Sí Mismo como, "Yo que comprehendo en mí mismo todo lo vasto y lo minúsculo (i.e. Nuit y Had), todo lo radiante y lo obscuro . . . " (LVX y NOX). Cf. *Liber LXV,* III:33.

54 Cf. *Liber XC,* 43.

También Vitriol y el nombre del hierofante V.V.V.V.V.

Todo esto rodaba en fuego, en fuego estelar, raro y lejano y sumamente solitario—[55]

Estos versículos del *Liber VII* esconden el emblema de la confirmación de este misterio. Allí hay ocho apariciones de la letra "V" escrita en mayúsculas: Verbum, Verbum, Vitriol, y V.V.V.V.V., "rodando" en fuego de estrella, formando la Estrella del Logos, la Estrella cuya Palabra transformó el mundo, la Estrella del Mesías.

La aparición de nuestro Mesías no tenía la intención de evocar la adoración exotérica de los hombres o ser conocido abiertamente como el ungido. Su misión era llevar al hombre la Palabra que embriagaría lo más íntimo, no lo más externo.

Tampoco será hablado en los mercados que yo he venido quien debería venir; pero Tu venida será la única palabra.[56]

Este Mesías vino suave y secretamente a la tierra, comparado con un suave pétalo de amaranto[57] soplado por el viento.[58] Aun así, se sabía que su venida estaría acompañada de los dolores de parto de una nueva era y que Su servidor sería rechazado por los hombres.[59] Este Cristo es el Guardián del Abismo, Aquel que es como una Mujer que echa a chorros la leche de las estrellas de sus pezones.

Y por esto está BABALON bajo el poder del Mago, porque ella se ha sometido a la obra; y ella guarda el Abismo. Y en ella está una pureza perfecta de aquello que está arriba; mas ella es mandada como Redentora a los que están debajo. Pues no hay otro camino al Misterio Superno sino a través de ella, y la Bestia sobre la que ella monta. . .[60]

---

55 *Liber VII*, IV: 41–43.

56 *Liber LXV*, II: 28.

57 El amaranto significa una flor que nunca se marchita.

58 *Liber LXV*, I:34.

59 Cf. *Liber LXV*, I:36–38, I:50–52, I:57, y V:30–33.

60 *Liber CDXVIII*, 3.er Éter.

El Corazón de Sangre en la Túnica del Neófito

El Misterio de la Redención

La palabra "redimir" significa "recomprar", "recuperar la propiedad pagando una suma requerida." En el Antiguo Testamento, la palabra principal utilizada es גאל, que según la tradición semítica significaba la redención por parentesco. El familiar más cercano volvería a comprar la propiedad de un pariente, o se casaría con su viuda, y cumpliría con el requisito de un pariente. La redención está relacionada con la servidumbre o el encarcelamiento, como en פדה, "pagar un rescate." El uso del concepto en el Nuevo Testamento ocurre con menos frecuencia que en el Antiguo, pero la connotación de redención/rescate es evidente en el uso de λυτρωτής como "redentor."[61] La doctrina cristiana del Redentor se basa en

---

61 Cf Browne, *Triglot Dictionary of Scriptural Representative Words in Hebrew, Greek and English*, p. 334.

la premisa de que Jesús pagó el precio total por la redención de las almas con su muerte para satisfacer el requisito impuesto por Jehovah: el sacrificio de sangre como rescate por el pecado. Nuestro punto de vista sobre esta doctrina en particular quedó claro en el capítulo 1, y una lectura cuidadosa de ese capítulo hará evidente que nuestro propio uso de la palabra "Redentor" no tiene nada en común con esta doctrina indecorosa del Dios Moribundo.

Heh final del Tetragrammaton es atribuida a Pentáculos, o Monedas. La "redención" de Heh final es la restauración de la Hija Malkuth al Trono de la Madre Binah. El mensajero de Babalon que entregó esa Palabra de la Mujer Escarlata al mundo fue V.V.V.V.V., y esa Palabra encarnó los medios para cruzar el Abismo. No se logra mediante la expiación vicaria y la fe en los trabajos de otro; dentro del crisol de cada corazón individual, la moneda debe ser redimida mediante un esfuerzo auto-sostenido.[62] El precio se paga con nuestra propia sangre, no por fe en la sangre de otro. La Túnica del Neófito de la A∴A∴ está, por lo tanto, adornada con un Triángulo Rojo descendente que es un Corazón de Sangre,[63] afirmando el compromiso con la Gran Obra y el derramamiento final de esa sangre en la Copa de Babalon de la que también es un emblema.

Para que no haya malentendidos sobre este punto y se crea erróneamente que estamos fomentando una falsa Soteriología, hablaré claramente. El Mesías no era Aleister Crowley; a pesar de todo su genio, que es innegable, él era simplemente el Escriba de un Adepto más grande. Tampoco V.V.V.V.V. solo representa un motto de Aleister Crowley. Frater Perdurabo, al llegar a Magister Templi, tomó un motto con estas iniciales, por razones que son

---

62   Esto fue claramente resumido por James Wasserman, quien escribió, "la salvación de la humanidad debe lograrse con una persona, una mente, un alma a la vez. Que solo erradicando el mal y la ignorancia dentro de uno mismo es realmente posible erradicar el mal y la ignorancia en el mundo." (*The Slaves Shall Serve*, p. 17).

63   Para ver una ilustración en color de esta Túnica, ver *Liber Vesta*. Cf. también *Liber VII*, V:42 y *Liber LXV*, III:28.

conocidas por ciertos Iniciados de la A∴A∴ Sería inapropiado discutir este asunto abiertamente en este lugar. Sin embargo, es fundamental entender que V.V.V.V.V. es otro Magister completamente, individual y único, en la medida en que tales términos se apliquen por arriba del Abismo.

> En V.V.V.V.V. es la Gran Obra perfecta.
> Por lo tanto, no hay nada que no pertenezca a V.V.V.V.V.
> En cualquiera puede manifestarse; pero en uno ha escogido manifestarse; y a este ha dado Su anillo como Sello de Autoridad a la Obra de la A∴A∴ a través de los colegas de FRATER PERDURABO.
> Pero esto les concierne a ellos mismos y a su administración; no concierne a nadie por debajo del grado de Adepto Exento, y a uno así solo por orden.
> Además, puesto que debajo del Abismo la Razón es el Señor, que los hombres busquen mediante la experimentación y no mediante los Cuestionamientos.[64]

El comentario de Frater Perdurabo sobre este capítulo de *El libro de las mentiras* va bastante al grano:

> V.V.V.V.V. es el motto de un Maestro del Templo (o por lo menos eso fue lo que Él reveló a los Adeptos Exentos), mencionado en *Liber LXI*. Él es el responsable de todo el desarrollo del movimiento A∴A∴ que se ha asociado con la publicación de THE EQUINOX; y Sus Declaraciones están consagradas en las Escrituras Sagradas.
> Es inútil investigar Su naturaleza; hacerlo conduce a cierto desastre. Su autoridad se exhibe cuando es necesario, a las personas adecuadas, aunque en ningún caso a nadie por debajo del grado de Adepto Exento. A la persona que investiga estos asuntos se le pide cortésmente que trabaje y no haga preguntas sobre asuntos que de ninguna manera le conciernen.[65]

---

64 *Liber CCCXXXIII*, capítulo 41.

65 Ibíd., Comentario a capítulo 41.

Habiendo escrito tanto como es lícito acerca de este gran misterio, se exhorta al estudiante sincero y serio que busca la comprensión, a buscar esta Verdad en el estudio prolongado de las Sagradas
Escrituras y en las prácticas prescritas por los Hermanos de la A∴A∴

> Tampoco es adecuado para el zapatero parlotear del tema Regio.
> O, zapatero! enmiéndame este zapato, para que yo pueda caminar.
> O, rey! si yo soy tu hijo, hablemos nosotros de la Embajada al Rey
> tu Hermano.
>   Entonces hubo silencio. El habla había acabado con nosotros
> un rato.[66]

El que tenga oídos para oír, que oiga.

---

66 *Liber LXV*, I:11–12

CAPÍTULO 6

LA IMAGEN DE DIOS

Ellos no vieron a Dios; ellos no vieron la Imagen de Dios; por tanto ellos fueron alzados al Palacio del Esplendor Inefable.

Una afilada espada golpeó ante ellos, y el gusano Esperanza se retorció en su agonía de muerte bajo sus pies.

Liber LXV, V:35

La Iniciación central del Neófito de la A∴A∴ es el logro de la Visión del Santo Ángel Guardián. La identificación de esta experiencia como una "visión" ha sido fuente de confusión para muchos estudiantes, especialmente aquellos que tienen una tendencia hacia la religión exotérica. La experiencia no es una imagen astral ni está relacionada con ninguno de los dhyanas elementales comunes.[1] No debe confundirse con ese Samadhi que a veces se llama la "visión de Dios". La Visión del Santo Ángel Guardián no está asociada en absoluto con "visiones" o estados de trance. Es la transformación del Nephesh de un estado de vagabundeo ocioso a una condición de atención a la Palabra Única, que es desconocida pero cierta, declarando su presencia evidentemente por sí misma mediante la demostración de verdadera aspiración.

---

1   Ver *Libro 4*, parte 1, capítulo 6.

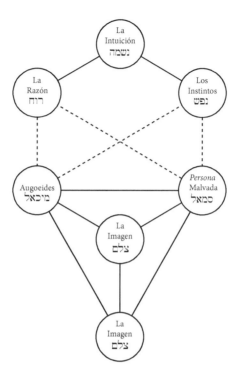

El Tzelem

La Imagen Fatal de la Naturaleza

Eliphas Levi describió el alma del hombre como una luz velada compuesta por el Neshamah o Intuición (a la que llamó el "espíritu puro" o "aspiraciones superiores"), el Ruach (la "Razón") y el Nephesh (a la que llamó el "mediador plástico" o "las pasiones"). La interpretación de Levi de la doctrina del Tzelem[2] sostenía que el velo del alma es la "cáscara" de la imagen, y que esta imagen era doble, ya que reflejaba tanto al "Ángel bueno del Alma" (el Santo Ángel Guardián) como al "Ángel malvado del Alma" (la *Persona* Malvada). Utilizando la nomenclatura de la Qabalah tradicional, identi-

––––––––––––––––

2   צלם "imagen."

ficó al "Ángel bueno" como *Miguel*, al "Ángel malvado" como *Samael*. La "cáscara", es decir la Qliphah, de *ambos* es reflejada tanto en el Nephesh como en el Ruach.

La tarea del aspirante a Neófito es no caer víctima de la atracción magnética de la *Persona* Malvada, que tiene mucho en común con lo que la psicología profunda llama la Sombra, los aspectos negativos de la personalidad. No es de extrañar que Levi describiera al Tzelem como "una esfinge que propone el enigma de la vida". La imagen de la *Persona* Malvada reflejada en el Nephesh se llama *la imagen fatal de la naturaleza*. Levi lo consideraba aquello que sucumbe a lo exterior en lugar de lo interior. Crowley la llamó *el rechazo a la iniciación*. Según Levi, la imagen fatal dotaba al Nephesh de sus atributos, pero afirmaba que el Ruach podría reemplazar esa imagen con la imagen del Ángel bueno a través de la inspiración del Neshamah.

Sobre este punto chocaremos cuernos con Levi. Neófitos, prestad atención a esta advertencia: *ambas* imágenes deben ser ignoradas, porque no son más que cáscaras y fantasmas, y el Ruach no tiene los medios para distinguirlas. ¿Por qué? Porque cada imagen contiene elementos de la otra, una casa de espejos que es tan verdadera como falsa. Esta es una de las razones por las que el Santo Ángel Guardián que habla en *Liber LXV* se describe a Sí Mismo como "una Imagen de una Imagen", y una de las razones por las que el Espejo Mágico se atribuye a Qoph, la Luna cambiante y los fantasmas de las Qliphoth. Levi dijo correctamente que el Nephesh era inmortal a través de la destrucción de formas. Sin embargo, es la naturaleza del Nephesh tender a petrificar el Espíritu por la autocomplacencia, agravada por el Ruach con su tendencia al reduccionismo.

Una Imagen de una Imagen

Al comienzo del *Liber LXV*, se nos insta a no dejarnos enredar en imágenes deíficas mientras buscamos el *summum bonum*.

> No os contentéis con la imagen. Yo que soy la Imagen de una Imagen digo esto. No debatáis de la imagen, diciendo Allende!

Allende! Uno asciende a la Corona por la luna y por el Sol, y por la flecha, y por el Fundamento, y por el obscuro hogar de las estrellas desde la tierra negra. No de otra manera podéis vosotros alcanzar el Punto Liso.[3]

Uno debería tener en cuenta que el lenguaje en sí no es más que otra forma de imagen. Por lo tanto, no importa cuán exitoso sea el lenguaje o la *imago*, todavía no llega a la Verdad debido a las limitaciones de la mente consciente. Esto no es menos cierto de *Liber LXV* que de cualquier otro Libro Sagrado. Por lo tanto, se nos advierte de que no nos contentemos con ninguna imagen, independientemente de su forma, sino que sigamos aspirando, incluso hasta la Corona.

Sí, al final
Visión debe trascender toda visión.
Estas glorias son meros andamios
Al Palacio Cerrado del Rey.[4]

La facultad de la psique que crea imágenes es el Sí-Mismo, el centro transpersonal del ser humano.[5] Si bien la imagen proviene de las profundidades transpersonales del Inconsciente, debe transmitirse a la conciencia a través del Ego y, por lo tanto, se contamina por la interacción con el contenido consciente de la psique. Un gran peligro es la posibilidad de confundir la imagen con lo que la imagen representa, cortando efectivamente la posibilidad de la *participation mystique*. El resultado final es una proyección total de la imagen en un marco restrictivo traducido únicamente por el intelecto. La interacción vital entre el individuo y el *mysterium* degenera invariablemente en un conflicto racional y se petrifica en un dogma sin vida. Jung afirma este punto de manera efectiva:

---

3   *Liber LXV*, I:7–10.

4   *AHA* (siendo *Liber CCXLII*), p. 36.

5   Cf. Edinger, *Ego and Archetype*, p. 285.

Cada arquetipo es capaz de desarrollarse y diferenciarse sin fin. Por tanto, es posible que esté más desarrollado o menos. En una forma de religión externa donde todo el énfasis está en la figura externa (de ahí que se trate de una proyección más o menos completa), el arquetipo es idéntico a las ideas exteriorizadas, pero permanece inconsciente como factor psíquico. Cuando un contenido inconsciente es reemplazado por una imagen proyectada en ese grado, se corta toda participación e influencia en la mente consciente . . . Por lo tanto, puede suceder fácilmente que un cristiano que cree en todas las figuras sagradas esté todavía sin desarrollar y sin cambios en lo más íntimo de su alma porque tiene a "Dios todo afuera" y no lo experimenta en el alma.[6]

La sangre es la vida, y el Espíritu debe tener vida si ha de habitar en el mundo. El Candidato es, por supuesto, el vehículo de Vida para el Espíritu que habita en nosotros. Ahora bien, aquí no estamos hablando de participación pasiva en el proceso; eso equivaldría a lo que podría describirse acertadamente como vampirismo y posesión. Esto no es parte del programa. Estamos hablando de un proceso en el que los Candidatos se encienden con la oración y buscan activamente la interacción con la Influencia Divina. Si pensamos en esto solo como los encuentros dramáticos que a menudo se describen como visiones o trances, no consideramos la interacción extremadamente importante pero sutil que guía nuestros pies en el camino. No solo a través de la oración y las prácticas, sino en el estudio cuidadoso de los Libros Sagrados, todas las cosas deben dirigirse constante y pacientemente hacia lo Divino. Debe formar parte de la vida diaria en todo momento; debe estar sellado en el Corazón para tener una experiencia genuina y viva.

Esto a veces es extremadamente difícil de hacer, especialmente cuando se experimentan períodos de sequedad y vacío que algunas culturas han llamado la "pérdida del alma", anteriormente descrita

---

6 *Psychology and Alchemy*, p. 11. Aunque Jung da al cristianismo como el ejemplo principal de este tipo de proyección, de ninguna manera se limita a los practicantes de esa fe.

Fermentatio

como la "Noche Oscura del Alma". Tales dificultades no se limitan a períodos tan dramáticos como estos. En tratar de ganarse la vida en el mundo natural, formar una familia y simplemente sobrevivir día a día, a veces puede parecer que el hilo dorado se ha perdido. En vez de retroceder del Trabajo con frustración y disgusto, el Candidato debe continuar aferrándose a lo que es Verdadero, y continuar estudiando y buscando orientación. Aquellos que estudian con sinceridad los versículos de los Libros Sagrados y los toman en serio uniendo Palabras con Actos, tienen la promesa de una bendición. No se puede afirmar que vendrá instantáneamente, pero para aquellos que perseveren, llegará. Por tanto, al final de *Liber LXV* está escrito:

> Y aquellos que leyeron el libro y debatieron sobre él pasaron a la tierra desolada de Palabras Estériles. Y aquellos que sellaron el

libro en su sangre fueron los elegidos de Adonai, y el Pensamiento de Adonai era una Palabra y un Acto; y ellos habitaron en la Tierra que los viajeros lejanos llaman Nada.[7]

El Misterio de la Levadura

La iniciación resultante de la Visión del Santo Ángel Guardián ocurre al nivel del Nephesh. El catalizador del cambio, así como el proceso de transformación en sí mismo, es inicialmente inconsciente para el buscador. *Liber LXV* da una pista distintiva sobre esta operación:

> El matalobos no es tan afilado como el acero; mas perfora el cuerpo más sutilmente.[8]

Otro nombre en inglés para el matalobos es "monks-hood" que significa "capucha de monje", debido a su flor única que tiene una forma notablemente parecida a la capucha de la túnica de un monje. La interpretación tradicional considera que la forma de la capucha del monje, o Ermitaño, sugiere la letra hebrea Yod.[9] Por tanto, en su forma exterior, la planta es un recordatorio de la semilla secreta. Si bien Yod es la más diminuta de todas las letras hebreas, es la letra de la que derivan todas las demás. El matalobos también es un veneno mortal; incluso la porción más pequeña puede causar daño. El acero, por otro lado, como sustancia hecha por el hombre, no se produce en la naturaleza sin una intervención consciente; es un emblema apropiado del intelecto, una amalgama de material natural extraído de la tierra y forjado en una herramienta de perforación. En LXV, I: 13 el Santo Ángel Guardián no se identifica con el acero del intelecto, sino con la hermosa flor que crece en la tierra (el Nephesh). La acción del veneno silencioso "no es tan afilado" como una penetración violenta

---

7   *Liber LXV*, V:59.

8   *Liber LXV*, I:13.

9   Un ejemplo llamativo de esto se puede ver en la carta de El Ermitaño interpretada por Paul Foster Case.

y repentina del acero. Es decir, comienza en el nivel inconsciente y funciona de manera silenciosa pero constante.

La primera interacción entre el Ángel y el adepto equivale a la operación Alquímica llamada *Fermentatio*. Ruland define esta operación como:

> La exaltación de una Materia en su parte esencial por medio de un fermento que penetra en toda la masa y opera en ella de manera peculiar, actuando inmediatamente sobre la naturaleza Espiritual... Pues tal como un mínimo de fermento . . . puede leudar una gran masa de harina, así el fermento químico se asimila a la cosa a fermentar. Cualquiera que sea la naturaleza del fermento, de tal es la materia fermentada.[10]

El simbolismo de la levadura o fermento ocurre repetidamente en el Antiguo Testamento, pero siempre con una connotación negativa. La levadura estaba estrictamente prohibida en todos los sacrificios a Jehovah, ya que se consideraba que tipificaba la corrupción y la decadencia. Como un memorial de la Pascua Judía y un prototipo de redención por la sangre del cordero, a los israelitas se les prohibió consumir pan leudado durante siete días. A los que violaran esta ordenanza se les cortaría el alma (Nephesh) del cuerpo de Israel.[11] Esto se equipara directamente con una amenaza de condenación eterna. Esta tradición continúa hasta nuestros días y tiene un paralelo directo en las hostias sin levadura de la comunión cristiana que significan el cuerpo de Cristo, el cordero sin mancha ni contaminación. En una palabra, la fermentación se ha asociado tradicionalmente con el trabajo del Diablo.

La palabra "fermentar" significa hacer turbulento, agitar y hervir. Los alquimistas notaron que después de la introducción del agente leudante, que es la semilla del Trabajo, había un tiempo de reposo antes de que surgiera la tormenta. Gradualmente, a medida que el fermento se asimilaba a la Prima Materia, el sujeto de la Obra

---

10   Martin Ruland. *A Lexicon of Alchemy*, p. 144.

11   Éxodo 12,14–15.

se ocluía en una tormenta de acción química antes de alcanzar el clímax de la operación. Por esta razón, los Hermetistas asociaron el proceso de *Fermentatio* con Tifón, el Señor de la tormenta,[12] o con Plutón o Hades, dios del inframundo. La literatura alquímica describe el agente leudante como *Sal Tartari* ק, la "Sal de Tártaro."[13]

Se dice que el "Fuego Secreto" que transmuta la Primera Materia o "Sal de la Tierra"[14] está compuesto de dos sustancias. Una es *Sal Tartari*, la sal del Infierno; la otra es *Sal Armoniacum* ✳, la "Sal de la Armonía," simbolizada por la Estrella del Mesías. Aquí está la doctrina de la Espada y la Serpiente, y el misterio de נחש que es el Redentor משיח.[15]

> La levadura se asienta, y el pan será dulce; el fermento obra, y el vino será dulce. Mis sacramentos son alimento vigoroso y divina locura. Venid a mí, O, vosotros, niños de los hombres; venid a mí, en quien yo soy, en quien vosotros sois, si tan solo estuvierais vosotros vivos con la vida que habita en Luz.[16]

Habiendo afirmado previamente que la sangre es la vida del Espíritu en el mundo, ¿cómo entonces se introduce este agente leudante, este veneno, en la sangre del Candidato? Se transmite mediante un

---

12 Etimológicamente, "Tifón" está relacionado con la tormenta del mismo nombre. Cf. también צפן, "norte," la dirección en el Medio Oriente de donde proceden las tormentas. Siendo la dirección opuesta al sol en su cénit, el norte es el lugar de mayor oscuridad simbólica.

13 Del griego Ταρταρόω, considerado como el pozo más profundo del infierno. Los estudiantes deberían leer atentamente *Liber LXV*, I:1, I:14–17, I:47–48, I:56–64, III:30–31, 38–39, IV:24–25, 43–45, *Liber VII*, I:28–30, y *Liber XC*, 15–17.

14 Uno de los títulos místicos del Candidato es בן אדם "hijo de Adán.", es decir, "hijo del hombre."

15 La espada flamígera conecta a las Sephiroth, mientras que la Serpiente de la Sabiduría conecta los senderos. Juntas dan 32, el valor de אהיהוה, Macroprosopus unido con Microprosopus. Reemplazando las tres ה con las Letras Madres מ, ש, y א da 358, el valor de נחש y de משח. Respecto al Fuego Secreto, baste decir que su símbolo es la flecha ↗. Los estudiantes deberían recordar que סמך = 120 = עין, La Ciudad del Sol, los senderos del Diablo y La Muerte.

16 *Liber CDXVIII*, 20.º Éter.

beso del Santo Ángel Guardián. El simbolismo de besar al Ángel se describe por primera vez en *El mundo despierto*:

> Su boca es más roja que cualquier rosa que jamás vierais. Despierto bastante cuando nos besamos, y ya no hay sueño. Pero cuando no está temblando sobre los míos, veo besos en sus labios, como si él estuviera besando a alguno a quien uno no podría ver.[17]

Se debe entender que este lenguaje no pretende un "beso" literal. La unión entre el Candidato y el Santo Ángel Guardián se describe simbólicamente como un Matrimonio consumado. El Ángel se representa como el Príncipe (ו), mientras que el Candidato se representa como la Novia (ה final de יהוה). Antes de la Unión Sagrada (el Conocimiento y la Conversación del Santo Ángel Guardián), a un Candidato se le puede permitir experimentar un breve encuentro con el Ángel, un simple "beso" comparado con la consumación en el lecho nupcial. Poco a poco, a medida que estos breves encuentros se van asimilando, comienza a producirse un cambio dentro del Candidato. Así como una sola cuerda de un instrumento musical comenzará a vibrar en Armonía con una cuerda vecina emitiendo una nota pura, el aspirante comenzará a experimentar un cambio sutil. El resultado se describe poderosamente en *Liber LXV*:

> Así como los besos malvados corrompen la sangre, así mis palabras devoran el espíritu del hombre. Yo respiro, y hay des-asosiego infinito en el espíritu. Como un ácido se come el acero, como un cáncer que corrompe completamente el cuerpo; así soy yo para el espíritu del hombre. Yo no reposaré hasta que yo lo haya disuelto todo.[18]

Señor de las Puertas de la Materia

Como Primera Materia esencial, la *Prima Materia*, el Candidato es la verdadera "sangre vital" de la operación. A pesar de nuestros

---

17 *Konx Om Pax*, El mundo despierto, p. 1.
18 *Liber LXV*, I:14–17.

continuos recordatorios de la vulgar condición de la materia, es incuestionable que existe un valor inherente en cada buscador de los Misterios, no solo para ellos mismos, sus inferiores en la Cadena, o la Obra en general, sino para el Ángel también. El alcance de este Misterio está más allá del alcance de esta discusión, pero el estudiante se beneficiaría de un estudio cuidadoso de *El mundo despierto* sobre este mismo punto. Sin embargo, la Primera Materia debe transformarse y prepararse para el viaje, y ese es el comienzo del elaborado proceso que finalmente colocará a la Hija Malkuth sobre el Trono de la Madre Binah.

La transformación de Malkah, la reina inferior y Novia de Microprosopus, radica en volverse completamente virgen para el Señor. Esto no tiene nada que ver con el concepto normal de castidad sexual. Es simplemente un enfoque singular en el Trabajo. Todo pensamiento, toda acción, debe dedicarse al Propósito Único. Por tanto, el Nephesh puede prepararse para la unión con el Señor. La Novia está entonces debidamente preparada para unirse al Novio, quien es el Santo Ángel Guardián. Esto también incorpora el simbolismo de Osiris, preparado para la Iniciación por su hermana Isis (Naturaleza) y Nephthys (Perfección).

> El cuerpo está agotado y el alma está severamente agotada y el sueño pesa sobre sus párpados; mas siempre permanece la conciencia segura del éxtasis, desconocida, mas conocida en que su ser es cierto. O, Señor, sé mi ayudante, y llévame a la dicha del Bienamado!
>
> Yo vine a la casa del Bienamado, y el vino era como fuego que vuela con verdes alas a través del mundo de aguas.
>
> Yo sentí los labios rojos de la naturaleza y los labios negros de perfección. Como hermanas ellas acariciaban a mí su hermano pequeño; ellas me ataviaron como una novia; ellas me prepararon para Tu cámara de boda.[19]

Aquello que se describe poéticamente como el beso del Ángel es el contacto personal inicial, descrito anteriormente como la Visión del Santo Ángel Guardián. Es el comienzo de la Unión, una afirmación

---

19 *Liber LXV*, IV: 29–31.

del *Coniunctio* de Candidato e Iniciador, aún no consumada, pero afirmada.

Al principio, esta interacción entre el iniciado y el Ángel adquiere lo que solo se puede llamar un carácter impersonal, pues la intimidad de la unión total solo se realiza con el Conocimiento y la Conversación del Santo Ángel Guardián. La Verdadera Identidad del Ángel no será revelada hasta el momento de la consumación, pero el Candidato al final recibirá un Nombre mediante el cual se podrá dirigir a Él.[20] Como Señor Iniciante, el Ángel es el verdadero Hierofante en el Ritual de Iniciación y, por lo tanto, una forma de Hoor.[21]

> . . . ahora está Hoor bajado al Alma Animal de las Cosas como una fogosa estrella que cae sobre la obscuridad de la tierra.[22]

Esto de ninguna manera debe interpretarse literalmente. El Ángel es Hoor en el mismo sentido que el candidato es Asar. Pues no solo es el Ángel Hoor, Él es el Señor de las Puertas de la Materia, que disipa la ilusión en ellas. Él es Pan, el Todo, el Uno, el Ninguno.[23]

> Pero yo he ardido dentro de ti como una flama pura sin aceite. En la media noche yo era más brillante que la luna; en el día yo excedía completamente al sol; en las callejuelas de tu ser yo flameé, y dispersé la ilusión. Por tanto tú eres completamente pura ante Mí; por tanto tú eres Mi virgen por la eternidad.[24]

---

20   El término "Él" en este contexto se usa en un sentido arquetípico, porque el Candidato, sin importar el sexo, es la Novia, el Ángel el Novio. El Ángel, al estar sobre el Abismo, no está limitado por las restricciones de la encarnación, sino que aparecerá como Vau para Heh Final.

21   El Hierofante en la Orden Externa es percibido como Hoor-Apep. En la Orden Interna Él es Hoor-Ra. En la Tercera Orden, Él es Hoor-Set.

22   *Liber LXV*, V:5. Ver el capítulo 8 donde este mismo simbolismo se explica en la escala Universal en lugar de la Individual.

23   Ver capítulo 8 para una discusión completa de este asunto.

24   *Liber LXV*, V:9–10.

Capítulo 7

ב

Mí Mismo Hecho Perfecto

> Mas tú distingue entre las Flechas hacia arriba y
> hacia abajo, pues la flecha hacia arriba es limitada
> en su vuelo, y es lanzada por una mano firme, pues
> Yesod es Yod Tetragrammaton, y Yod es una mano...
>
> *Liber CDXVIII*, 5.º Éter

Aquellos familiarizados con el sistema de la A∴A∴ saben que el Colegio Externo se compone de cuatro Grados, el Colegio Interno de tres Grados y el Colegio Supremo de tres Grados.[1] Estas divisiones, si bien corresponden a las Sephiroth del Árbol de la Vida, son en verdad conveniencias para el propósito de entrenamiento y la delegación de Tareas. En el nivel más básico, dentro de las Tres Órdenes, hay Tres Grados: Neófito, Adeptus y Magister. Estos son los puntos críticos en la carrera de un aspirante; La Visión del Santo Ángel Guardián (Neófito), El Conocimiento y Conversación del Santo Ángel Guardián (Adeptus), y el cruce del Abismo y la admisión a la Ciudad de las Pirámides (Magister).

---

1 Al estar el Probacionista fuera de la Orden, no se cuenta. Asimismo, el Dominus Liminis no se considera un Grado *per se*, ya que técnicamente es un Título otorgado por la Autoridad. Lo mismo vale para Bebé del Abismo, que no es un Grado.

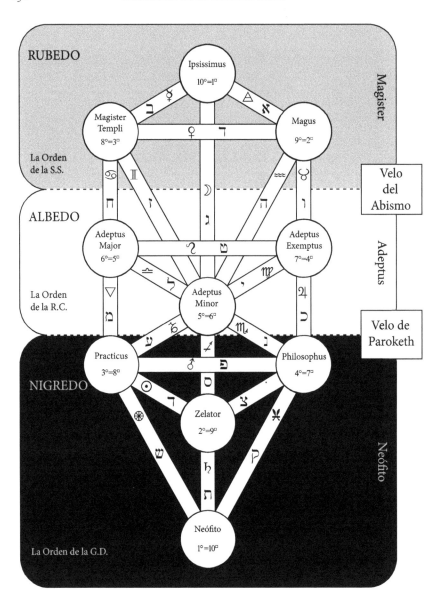

Las Tres Divisiones de la Orden y el Trabajo

Los diversos Juramentos y Tareas de los Grados del Colegio Externo son todos bocetos del Neófito, el "recién plantado."[2] Esta asignación general del término Neófito a todos los buscadores dentro del Colegio Externo se refiere a la letra hebrea Samekh, que es ♐ en el zodíaco. La flecha hacia arriba de Sagitario es el sendero que va de Yesod a Tiphereth y significa acertadamente la intención afirmada hacia lo Divino. Es un símbolo simple y sublime de la Voluntad aplicada.

Las Dos Flechas

Un estudio cuidadoso de *La visión y la voz* revelará que hay dos flechas que ocupan un lugar destacado en el simbolismo del logro. La primera, como se indicó anteriormente, representa la aspiración humana y se refiere al sendero de Samekh y ♐; la segunda, la Flecha hacia abajo, significa inspiración Divina.[3] La "flecha hacia arriba" es disparada por la "mano firme" de Yesod que es Yod Tetragrammaton; es decir, es disparada por la mano del Hombre.[4] La Flecha Divina es disparada hacia abajo.[5]

En un Ritual, esta flecha hacia arriba está indicada por el incienso que se eleva desde el fuego del turíbulo. Encendemos el incienso en el turíbulo, así como debemos encendernos nosotros mismos en la oración. La flecha hacia abajo en un Ritual está representada por el Aceite Sagrado que se usa en el acto de consagración. Por tanto, es un símbolo del crisma descendente de la Gracia Divina.

---

2   Es una tradición que los Adepti de la Orden Interna continúen usando su motto de Neófito para la identificación a lo largo de sus vidas. Una vez que uno alcanza el Grado de Neófito, uno es siempre, en un nivel u otro, un Neófito.

3   Esta Flecha Divina se refiere al sendero de Gimel. Cf. *Liber CDXVIII*, 5.º Éter.

4   Yod = י que significa "mano," la primera letra de יסוד el Fundamento, y יהוה, el Nombre de Dios de cuatro letras, el "Tetragrammaton," no solo referido a los cuatro Elementos, sino al Árbol de la Vida en su totalidad. No hay Dios sino el Hombre.

5   Los términos "hacia arriba" y "hacia abajo" son medios estrictamente intelectuales usados en referencia a los diagramas bidimensionales del Árbol de la Vida. No deben entenderse en ningún sentido literal.

Los vapores ascendentes & descendentes

En el *Symbola aureae alba* de Michael Maier, encontramos un emblema alquímico de sorprendente simbolismo paralelo. La alquimista María Prophetissa[6] señala dos vasijas. El vapor de la vasija inferior se eleva para abrazar el vapor que desciende de la vasija superior. Entrelazados, estos humos forman una *vesica piscis* que envuelve y nutre a la *Herba Alba* (la "planta blanca") con cinco vástagos y flores. La planta blanca significa la etapa de *Albedo* de la obra, y teniendo cinco flores, indica la coronación de los elementos por el Espíritu, el florecimiento de la Quintaesencia. Solo la combinación de Aspiración e Inspiración provocará el florecimiento de esta flor.[7]

---

6   También llamada María la Judía. Indudablemente se identificó con María Magdalena, y fue una defensora del *Hieros gamos*, como se evidencia en este emblema.

7   El simbolismo de este emblema alquímico también incorpora el aspecto práctico del *Hieros gamos*, o Misa del Espíritu Santo.

El Arquero Lunar

El arco y la flecha se asocia históricamente con varias deidades de la caza, como Diana y Artemisa. En una época muy temprana, el arco se asociaba con la Luna, probablemente debido a la forma que recuerda a la luna creciente. En el antiguo Egipto, se asociaron también con Neith, una diosa arcaica de posible origen libio. Richard Wilkinson escribe:

> El arco funcionaba desde tiempos remotos como símbolo y atributo de la diosa Neith, cuyo centro de culto era el antiguo sitio de Sais en la región del delta. Aunque a menudo se representa a Neith sosteniendo un arco, el significado exacto del arma no se comprende por completo, ya que es difícil saber si su imagen como una deidad guerrera es la causa o el resultado de su asociación con el arco.[8]

---

8   Richard H. Wilkinson, *Reading Egyptian Art*, p. 185.

Arqueros Apuntando al Centro

De hecho, Neith se representa con mayor frecuencia sosteniendo un arco y dos flechas, un atributo también de Sais, la ciudad de su culto. La clave para comprender el significado de estos símbolos asociados con Neith se encuentra en los antiguos Hechizos del Libro de los Muertos.

En *La Proclamación del Perfeccionado*, que se basa en el 42.º Hechizo del Libro de los Muertos, el Candidato declara: "¡Mi pecho es el pecho de Neith!"[9] En las traducciones anteriores de los Hechizos del Libro de los Muertos de E.A.Budge, la palabra 𓏏𓏤 *šnᶜ*, se traduce erróneamente como "antebrazos".[10] Los posteriores

---

9   Allen, *Book of the Dead*, p. 48. El texto jeroglífico, tomado del *Papiro de Nu*, dice: 𓏏𓏤𓀀𓈖 *šnᶜ-i m Nt*. El texto jeroglífico está impreso en Budge, *The Chapters of Coming Forth by Day*, Vol. 1, pp. 146–150.

10   Cf. E. A. Budge, *The Papyrus of Ani*, p. 214. En *Gods of the Egyptians*, Vol. 1, p. 451, Budge también identificó erróneamente el jeroglífico ▬ como la lanzadera del tejedor, en lugar de dos arcos unidos entre sí que realmente representa. Se encuentran imágenes de Neith con este jeroglífico sobre su cabeza.

estudiosos de la egiptología han demostrado que la palabra *šnˁ* en realidad significa "pecho" o "seno"[11]

Los brazos del difunto solían estar cruzados sobre el pecho como el símbolo de ✕, las flechas cruzadas de Neith. Entre la Realeza, las flechas cruzadas se reflejan doblemente en el cruce del Báculo y el Azote ✕, representativo de los Poderes de Ataque y Defensa, Severidad y Merced, Habla y Silencio.[12]

Dentro de este curioso simbolismo hay elementos claramente arquetípicos que se relacionan con el corazón, la verdad sagrada y el amor. Un ejemplo moderno interesante es el juramento común de los niños en inglés: "I cross my heart and hope to die."[13] La acción cristiana de formar el signo de la Cruz es otro ejemplo. Incluso el pequeño y pintoresco símbolo de la flecha de Cupido que perfora el corazón tiene su origen en el Inconsciente Colectivo y es más que un medio para anunciar el Día de San Valentín.

El sendero de Samekh conduce a Tiphereth, que se atribuye al corazón, ya que es el centro del Microcosmos. La flecha hacia arriba disparada desde Yesod la Luna se dirige hacia Tiphereth el Sol, el Corazón del hombre. Es la dirección de la Voluntad hacia la "fijación" de la materia volátil que formará la Quintaesencia. Esta Quintaesencia está formulada en la unión del adepto y el *Augoeides*.

Yo me disparo arriba verticalmente como una flecha, y vuélvome ese Arriba .[14]

---

11 R. O. Faulkner, *A Concise Dictionary of Middle Egyptian*, p. 269.

12 En el Alfabeto de las Flechas, las dos flechas cruzadas significan la letra H. Cf. *Equinox*, IV:2, p. 230.

13 La finalización de este pequeño Juramento, "stick a needle in my eye" [clavo una aguja en mi ojo], podría ser interpretada por un Qabalista de mentalidad humorística como una afrenta al Diablo.

14 *Liber VII*, I:37. Este versículo tiene un significado especializado para el Bebé del Abismo. Note que 37 = יחידה "Yechidah," la llama que es la Chispa de Deidad que se refiere a Kether. Sin embargo, su significado general de la Flecha hacia arriba como símbolo del anhelo del Santo Uno es aplicable a cualquier estudiante de cualquier nivel.

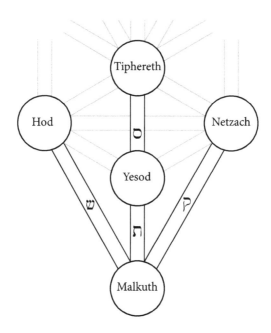

El Arco y la Flecha Celestiales

Esto equivale a apuntar al centro del objetivo (la diana), lo que ahora llamamos en inglés el "bull's eye."[15] El simbolismo del tiro con arco se encuentra en toda la literatura de la Alquimia, ya que es un emblema perfecto del intento de alcanzar una meta difícil, y la búsqueda espiritual en general. Esta identificación de la flecha con la oración y la aspiración es muy antigua. De hecho, la palabra en el Nuevo Testamento que se traduce como "pecado" es ἁμαρτία, un término de guerra que literalmente significa "errar el blanco".[16] Es sinónimo del hebreo חטא "errar; errar el blanco", como en el tiro con arco.[17]

---

15   El Signo Alquímico de Oro ☉ = el "Bull's eye [el ojo del toro]" o la diana. También, El Corazón = ☉ = Tiphereth = ו = ♉ = "bull," con disculpas al Hierofante. Por tales medios, los Qabalistas devotos pueden convertir a los conejos en osos y así matar a los enemigos del Rey.

16   Bauer, *A Greek-English Lexicon of the New Testament*, p. 42–43. Ver también Trench, *Synonyms of the New Testament*, pp. 239–241.

17   Browne, *Triglot Dictionary of Scriptural Representative Words*, p. 382 y

Cuán diferente podemos leer ahora Romanos 3,23: "por cuanto todos *pecaron*, y están destituidos de la gloria de Dios."[18] Pocos de nosotros discutiríamos la traducción completa: "por cuanto todos han *errado el blanco* y están destituidos de la gloria de Dios" Aquí no hay un amorfo y generalizado sentimiento de "pecado" sin sentido, cargado de culpa. Nos esforzamos por alcanzar lo divino y, a menudo, no logramos nuestro objetivo. No hay nada malo en esto. Es el esfuerzo lo que finalmente produce el éxito.

El Arco Iris de la Promesa

> Pues como ese recto sendero de la Flecha clavándose en el Arco iris se volvió rectitud en la que se sienta en el salón de doble verdad, así al fin es ella exaltada al trono de la Suma Sacerdotisa, la Sacerdotisa de la Estrella Plateada, donde también es tu Ángel hecho manifiesto.[19]

Los senderos de Qoph, Shin y Tau del Árbol de la Vida, tomados juntos, forman la palabra קשׁת que significa "arco."[20] En medio de estos tres senderos se encuentra el sendero de Samekh, la Flecha, colocada en el arco, apuntada simbólicamente a Tiphereth.

La palabra קשׁת no solo significa un arco que se usa para disparar flechas, sino que también se refiere al "arco celestial", que es el Arco Iris. Este simbolismo está tomado de Génesis 9, 12-15 y del mito de Noé y el diluvio:

> Y dijo Dios: Esta será la señal del pacto que yo establezco entre mí y vosotros y toda alma viviente que está con vosotros, por siglos perpetuos:

Gesenius' Hebrew and Chaldee Lexicon to the Old Testament, p. 271.

18   La traducción de la Versión Autorizada de πάντες γὰρ ἥμαρτον καὶ υστεροῦν- ται τῆς δόξης τοῦ θεου.

19   *Liber CDXVIII*, 17.° Éter.

20   *Gesenius' Hebrew-Chaldee Lexicon to the Old Testament*, pp. 747–748.

Mi arco pondré en las nubes, el cual será por señal de convenio entre mí y la tierra.

Y será que cuando haré venir nubes sobre la tierra, se dejará ver entonces mi arco en las nubes.

Y acordarme he del pacto mío, que hay entre mí y vosotros y toda alma viviente de toda carne; y no serán más las aguas por diluvio para destruir toda carne.[21]

El arco iris se convirtió así en un hermoso símbolo de promesa, apareciendo en el cielo después de la tormenta, un recordatorio de una alianza entre Dios y el Hombre. Los Alquimistas aprovecharon este simbolismo, identificando fácilmente el arco iris con los muchos colores de la cola del Pavo Real. En el proceso de las operaciones del Alquimista, al final del Nigredo, la fase oscura de la Gran Obra, aparecía una luz de muchos colores en la cucúrbita. A esta la llamaron el "arco iris" o la "Cola del Pavo Real". Anunciaba el final de la primera fase, el Nigredo, y prometía la aparición del Albedo o "Blanqueamiento", que es la segunda fase de la Obra. Hay un paralelo a este simbolismo en el sistema de la A∴A∴. El Trabajo del Colegio Externo corresponde a la fase Nigredo. El trabajo del Colegio Interno R.R. et. A.C. corresponde al Albedo. Por lo tanto, el emblema de la cola del pavo real, la "ropa de diversos colores", se refiere a Samekh.

Transmutaciones

En el primer capítulo hice una breve referencia a un cambio significativo que se produjo con la llegada del Eón del Niño, en lo que se refiere a la fórmula de L.V.X. Dije que L.V.X. ya no abrirá la Cripta de Abiegnus, la Montaña de los Adeptos, como lo hizo en el Eón de Osiris, y ahora explicaré por qué.

Primero, para aquellos que no estén familiarizados con la Cripta de Abiegnus, este es el nombre místico que los Iniciados aplicaban a la Tumba de los Adeptos, que se decía estar situada

---

21 Génesis 9,12–15 (RVA).

en el centro de la tierra, en la Montaña de las Cavernas, que es la Montaña de Dios en el Centro del Universo. Abiegnus era el nombre que se le daba a la sagrada Montaña de Iniciación Rosacruz. Indicaba la tumba mística del Padre de la Orden de la Rosa Cruz, Christian Rosenkreutz. En la antigua Orden de la Golden Dawn, la ceremonia de Iniciación del Adeptus Minor 5°=6⁰ estaba basada completamente en el descubrimiento de este sepulcro oculto y los misterios de la Resurrección. El simbolismo era estrictamente el del misticismo cristiano, y hay que decirlo, estaba bellamente interpretado. El propio Crowley afirmó que se trataba de un ritual de "tal profundidad y belleza que es difícil concebir que cualquier hombre no sea un hombre mejor y más iluminado por haber pasado por él".[22] La "Luz de la Cruz" (L.V.X) que junto con la Palabra Clave I.N.R.I. abría la tumba, se identificaba completamente con Jesucristo, y el Candidato que estaba simbólicamente crucificado con Cristo, resucitaba con él. Era un maravilloso ejemplo de la fórmula del Dios Moribundo aplicada al Ritual. A pesar de su belleza, que es innegable, es una fórmula incompleta y ya no es aplicable a Tiphereth. Para comprender esto más completamente, primero debemos dirigir nuestra atención a los cambios que el Nuevo Eón trajo a nuestra comprensión del simbolismo del Árbol de la Vida, y las fórmulas que pueden conducir a esa comprensión.

Con la llegada del Eón de Horus, el Señor del Eón plantó las semillas del cambio en la fértil tierra de Malkuth, sacudió la estabilidad de Yesod y reorganizó la Armonía de Tiphereth. El agua de Vida fue rociada en las arenas secas del Abismo para que un día florecieran. Las fórmulas que se consideraban Supremas fueron eclipsadas por las de una nueva era. El Ojo de Hoor se abrió y los reinos establecidos se rompieron en pedazos.[23]

---

22 *Equinox*, I:3, p. 207.

23 Ver capítulo 8.

Las Cuatro Puertas

También tú discursarás de estas cosas al hombre que las escribe, y él participará de ellas como un sacramento; pues yo quien soy tú soy él, y el Pilar está 'stablecido en el vacío. Desde la Corona hasta el Abismo, así va único y erecto. También la esfera ilimitada irradiará con el brillo de esta. Tú te regocijarás en las charcas de agua adorable; tú engalonarás a tus damiselas con perlas de fecundidad; tú prenderás flama como lenguas lamientes de licor de los Dioses entre las charcas. También tú convertirás el aire todo barriente en los vientos de agua pálida; tú transmutarás la tierra a un abismo azul de vino. Rubicundos son los destellos de rubí y oro que chispean ahí; una gota embriagará al Señor de los Dioses mi sirviente. También Adonai habló a V.V.V.V.V., diciendo: O, mi pequeño, mi tierno, mi pequeño amoroso, mi gacela, mi bello, mi muchacho, llenemos nosotros el pilar del Infinito con un beso infinito!

De forma que lo estable fue agitado y lo inestable se volvió quieto.

Aquellos que lo vieron clamaron con espanto formidable:

El fin de las cosas ha venido sobre nosotros.
    Y era justo así.[24]

Comencemos por examinar el simbolismo de Malkuth. En el Eón anterior, Malkuth era representado como un círculo dividido en cuatro cuadrantes ⊗, representados en la escala de colores de la Reina como Citrino, Verde Oliva, Rojizo y Negro.[25] Estos cuatro colores significaban los cuatro elementos atribuidos a Malkuth. Crowley escribe:

> el Nuevo Eón ha traído integridad de Luz; en el Minutum Mundum, la Tierra ya no es negra o de colores mezclados, sino que es verde puro y brillante.[26]

Este cambio también es visible en el Lamen de la Rosa Cruz. El brazo inferior que representa a Malkuth ahora es de un vivo Verde Esmeralda.[27] Esto es representativo de lo que los Alquimistas llamaban *benedicta viriditas*, "bendito verdor." La aparición del color verde significaba la generación de todas las cosas y la capacidad de crecer. En la literatura Alquímica es el indicador de esperanza y del futuro. Se consideraba un color asociado con la Perfección, aunque indicaba el *verdigris*, la "lepra de los metales", pues este estado de corrosión era un precursor de la transformación de la materia bruta en Oro.

En el nombre del Señor de la Iniciación, Amen.
    Yo vuelo y yo me poso como un halcón: de madre-de-esmeralda son mis alas barredoras y poderosas.
    Yo me lanzo en picado sobre la tierra negra; y se alegra a verde a mi venida.
    Niños de la Tierra! regocijaos! regocijaos excesivamente; pues vuestra salvación está a mano.[28]

---

24 *Liber LXV*, V:25–33.
25 Ver *Liber 777*, Columna XVI.
26 Crowley, *El libro de Thoth*, p. 119.
27 Ver la parte posterior de la baraja de Tarot de Thoth o la sobrecubierta de este libro.
28 *Liber XC*, 0–3.

Como se dijo anteriormente, L.V.X. ahora solo abrirá las Cuatro Puertas al pie de la montaña de Abiegnus. Ahora, el "pie de la montaña" es Malkuth, que lleva el título de "Puerta de la Hija de los Poderosos". Los cuatro cuadrantes de Malkuth son las Cuatro Puertas. Estas Puertas, de alguna manera, deben ser ingresadas por toda la humanidad finalmente, para poder participar plenamente de la vida material. Una persona de conciencia normal puede pasar por ellas en el curso de su vida. En este caso, sería una a la vez. Rara vez todas son conquistadas. El Iniciado, por su parte, a quien se le han otorgado las Llaves del Reino, puede pasar por ellas simultáneamente en virtud del Gran Nombre. Este es un asunto conocido por los Neófitos del A∴A∴ que han experimentado el *Ritual DCLXXI*.[29] Habiendo enfrentado los desafíos de los guardianes de las Puertas y sido dorados por la plenitud de la Luz, se les concede la admisión. El precio de entrada de esta manera es alto, ya que, llegando a este punto, no hay vuelta atrás. Sin embargo, es la LVX de Adonai lo que ilumina el camino del Candidato con cada paso, y la LVX de Adonai que abre el camino.

Las Cuatro Puertas se representan así rodeadas por una letra del Nombre de Adonai, y en medio, Él está representado por la letra ה, que en este caso es la ה final del Tetragrammaton, es decir, Malkuth.[30] De ese modo, se forma un Pentagrammaton que significa el poder transformador de la Nueva Luz: אדהני. El valor de este Pentagrammaton = 1 + 4 + 5 + 50 + 10 = 70, que es el valor de ע, El Ojo, Atu XV, El Señor de las Puertas de la Materia.[31]

y el Señor Adonai está en torno a él a todo lado como un Rayo,
y un Pilón, y una Serpiente, y un Falo, y en el medio de allí Él es

---

29   671 es el valor de תרעא "Puerta." *Ritual DCLXXI* es el Ritual de Iniciación del Grado de Neófito.

30   La ה inicial del Tetragrammaton es atribuida a Binah. La Hija es la Madre.

31   "Señor de las Puertas de la Materia" es el Título Místico de Atu XV, El Diablo. Cf. *Liber 777*, Columna CLXXX. Ver también *Liber LXV*, IV:45.

como la Mujer que echa a chorros la leche de las estrellas de sus pezones; sí, la leche de las estrellas de sus pezones.[32]

La segunda gran Iniciación encontrada por los aspirantes de la A∴A∴ es la del Zelator, 2°=9□, referida a Yesod, El Fundamento. En el antiguo Eón, este Grado se llamaba "Theoricus."[33] El nombre fue cambiado a Zelator para enfatizar el trabajo práctico y difícil de ese Grado en la Orden reformulada. Al tomar el Juramento de un Zelator, el iniciado jura obtener el control de los fundamentos de su ser.[34] Este es un preludio necesario debido a lo que puede seguir. En la tarea del Zelator, la cláusula Geburah (5.ª) dice: "Tenga en cuenta que la palabra Zelator no es un término ocioso; sino que cierto celo se inflamará dentro de él, sin saber por qué." Aquellos Neófitos que hayan tenido éxito en su tarea son elegibles para la admisión al Ritual de Iniciación del Grado de Zelator, que se conoce en el plan de estudios de la A∴A∴ como Ritual CXX. El número 120 es significativo. Primero, es el número de Samekh deletreado por completo, סמך. En segundo lugar, era un número muy importante en el Eón anterior en el Simbolismo del Ritual del Adeptus Minor. Se decía que la puerta secreta que ocultaba la entrada a la tumba de Christian Rosencreutz tenía la inscripción "Post CXX Annos Patebo" ("En 120 años salgo fuera"). Debajo de los números romanos CXX, el candidato veía una inscripción que se interpretaba como "Post annos Lux Crucis Patebo" ("Al final de los años, yo, la Luz de la Cruz, me revelaré"). Significaba, en definitiva, la Resurrección del Adepto que se identificaba con Cristo Crucificado y Resucitado.

---

32 *Liber LXV*, V:65. El Rayo = א, el Pilón= ר, la Serpiente = ז, el Falo = י, y la Mujer = ה.

33 Anteriormente, el Grado atribuido a Malkuth se llamaba "Zelator" para el Candidato "adentro" y "Neófito" para el Candidato "afuera". El Candidato "afuera" ahora se llama "Probacionista" y se considera más allá de las Puertas de Malkuth en el reino de las Qliphoth.

34 *Liber CLXXXV*, Escrito C.

Crowley dijo esto sobre el número 120:

120 = 1 x 2 x 3 x 4 x 5, por lo que es una síntesis de la potencia del pentagrama . . . De ahí su importancia en el Ritual 5=6 . . . Sin embargo, no estoy de acuerdo en parte; me parece que simboliza una redención menor que la asociada con Tiphereth. Compare al menos el número 0.12 y 210 en *Liber Legis y Liber 418*, y ensalce su superioridad. Porque mientras que el primero es la fórmula sublime de lo infinito surgiendo hacia lo finito, y el segundo el supremo regreso de lo finito a lo infinito, el 120 puede simbolizar en el mejor de los casos una especie de condición de estabilidad intermedia. Pues, ¿cómo se puede pasar del 2 al 0?[35]

Por lo tanto, asignó el número 120 al Ritual del Zelator, porque representaba una "redención menor" que la de Tiphereth. En este Eón, no hay un Ritual formal que celebre la *Coniunctio* que sella el Grado de Adeptus Minor. El Rito que logra esta gran tarea es privado y único para cada aspirante individual. Parafraseando a Crowley, ningún hombre conoce al Dios de su hermano ni el Rito que lo invoca. El logro del Adeptus Minor es la Ceremonia de unión del adepto con el Santo Ángel Guardián, no meramente un Ritual simbólico como antes.

Muchos de los aspectos simbólicos del anterior Ritual de Tiphereth se trasladaron a Yesod. El aspirante al Grado de Zelator en el Ritual CXX es Asar-un-Nefer, "Mí mismo hecho Perfecto." Liberado de las vendas del cadáver, el candidato se convierte en uno con el sui-cida Ankh-af-na-Khonsu, recibiendo el poder reproductivo para impregnar el Huevo de Luz y la recepción en la Orden de Θελημα. Sus pies ya no estando atados por los harapos de la muerte, Asar-un-Nefer está preparado para su redención por Isis y su hermana oscura Nephthys, para que como Hoor, pueda salir a hacer su Voluntad en la tierra entre los vivos. Y siendo así redimido, está preparado para la cámara nupcial en la que puede unirse con su único Señor Verdadero. Como está escrito, "¡Quienes

---

35   Crowley, *777 and Other Qabalistic Writings*, p. 32.

Volicionen alcanzarán! ¡Por la Luna, y por Mí Mismo, y por el Ángel del Señor!"[36]

Todas estas cosas tienen lugar bajo el Ojo que todo lo ve, y en virtud de la Rosa y la Cruz.

Si bien el emblema de la Rosa y la Cruz se refiere específicamente a Tiphereth, de ninguna manera se limita a Tiphereth, pues la Rosa es Nuit y la Cruz es Had.[37]

> Gloria a la Rosa y la Cruz, pues la Cruz está extendida al extremo más remoto allende espacio y tiempo y ser y conocimiento y deleite! Gloria a la Rosa que es el punto minúsculo de su centro! Justo como nosotros decimos: gloria a la Rosa que es Nuit la circunferencia de todo, y gloria a la Cruz que es el corazón de la Rosa![38]

Como dije en el primer capítulo, la palabra clave N.O.X. es lo que abrirá las Puertas de la Ciudad de las Pirámides en Binah. Ahora, la razón principal por la que L.V.X. ya no abrirá la Cripta de Abiegnus, la Montaña de los Adeptos, es porque la Cripta debe abrirse en virtud de la palabra N.O.X. ¿Por qué? Porque Abiegnus, la Montaña de los Adeptos en el Nuevo Eón, es idéntica a Sion, la Montaña Sagrada de Dios, la Ciudad de las Pirámides bajo la Noche de Pan[39]

---

36 "Tu fu tulu. Pa, Sa, Ga." (*Liber CDXVIII*, 2.º Éter). Pa = "La Luna," Sa = "Mí Mismo," Ga = "El Ángel del Señor." Cf. La foto del Signo del Hombre al cierre del capítulo 3. Note que "Sa" se encuentra en el medio de "Asar."

37 Desde el punto de vista individual, la Rosa es Nu, la Cruz es Hadit.

38 *Liber CDXVIII*, 23.º Éter.

39 Sion, ציון = 156, el número de Babalon, באבאלען. En árabe, Sion conserva el significado de "fortaleza". Cf. *Liber CDXVIII*. ציון también significa "un desierto," y "un Pilar" (*Gesenius' Hebrew and Chaldee Lexicon*, p. 708b.) Estas últimas palabras derivan de diferentes raíces, pero son idénticas qabalísticamente. Ver también *Liber CDXVIII*, 2.º Éter para la interpretación Iniciática de la Invocación de los 30 Éteres, en particular la oración "Su edificio, que sea una Cueva para la Bestia del Campo!" (*Equinox*, IV:2, p. 227).

Benditos sean los santos, que su sangre está mezclada en la copa, y ya nunca más pueden estar separados. Pues Babilonia la Bella, la Madre de abominaciones, ha jurado por su santo kteis, de donde todo punto es una punzada, que ella no reposará de sus adulterios hasta que la sangre de todo cuanto vive sea reunido ahí dentro, y el vino de ahí haya sido almacenado y madurado y consagrado, y sea digno de alegrar el corazón de mi Padre. Pues mi Padre está cansado con la tensión de antaño, y no viene al lecho de ella. Mas este vino perfecto será la quintaesencia, y el elixir, y por el trago de ahí él renovará su juventud; y así será eternamente, mientras época tras época los mundos se disuelven y cambian, y el universo se despliega como una Rosa, y se cierra como la Cruz que es doblada en forma de cubo.

Y esta es la comedia de Pan, que es representada de noche en el espeso bosque. Y este es el misterio de Dioniso Zagreo, que es celebrado sobre la santa montaña de Kithairon. Y este es el secreto de los hermanos de la Rosa Cruz; y este es el corazón del ritual que es cumplido en la Cripta de los Adeptos que está oculta en la Montaña de las Cavernas, sí, la Santa Montaña Abiegnus.[40]

Es por esta razón que *Liber Cheth vel Vallum Abiegni* es el título completo de *Liber CLVI*. Pues Vallum Abiegni significa "La Valla de Abiegnus." *Liber Cheth* es el libro del secreto del Santo Grial y pertenece al Misterio del Magister Templi. Abiegnus ya no significa la tumba del Cristo resucitado, sino la tumba de los Santos que han vertido la última gota de su sangre en la Copa de Babalon. Pues solo aquellos que han sacado la judía negra pueden plantar la Rosa; solo aquellos que han bebido las aguas de la Muerte pueden regar la Rosa, y solo aquellos que han sido consumidos en el Fuego de la vida pueden solear la Rosa que florece en Tiphereth. La semilla de esa flor está escondida más allá de la gran valla de Abiegnus, en la Cripta de los Santos, en la Ciudad de las Pirámides.

---

40   *Liber CDXVIII*, 12.º Éter.

Tú me aplastarás en el lagar de Tu amor. Mi sangre manchará Tus fogosos pies con letanías de Amor en Angustia. Habrá una nueva flor en los campos, una nueva vendimia en los viñedos. Las abejas reunirán una nueva miel; los poetas cantarán una nueva canción. Yo ganaré el Dolor de la Cabra por premio; y el Dios que se sienta sobre los hombros del Tiempo dormitará.

Entonces todo esto que está escrito será cumplido:

sí, será cumplido.[41]

---

41 *Liber VII*, III:56–60.

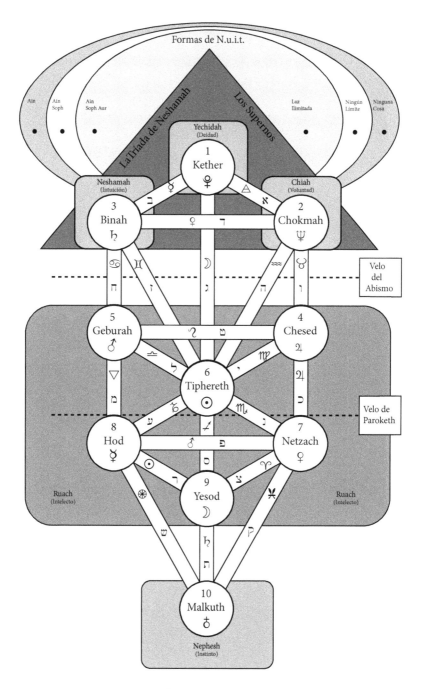

Árbol de la Vida

CAPÍTULO 8

AJENJO

Ahora está el Pilar establecido en el Vacío; ahora
está Asi colmada de Asar; ahora está Hoor bajado al
Alma Animal de las Cosas como una fogosa estrella
que cae sobre la obscuridad de la tierra.

Liber LXV, V:5

Al comienzo de este tratado, mencioné brevemente la progresión
de los Eones que inevitablemente condujo a la sustitución del
Eón del Padre por el Eón del Niño recién nacido. Una evaluación
crítica del avance de los Eones abarca más que motivos religiosos
e ideas filosóficas; por necesidad incluye también toda la historia
seglar. La totalidad del desarrollo humano está intrínsecamente
unida por la trama y el tejido de la idea y la realización, tanto filosó-
fica como práctica, espiritual y seglar. Sin embargo, aquí nos intere-
sa principalmente el desarrollo de motivos religiosos prehistóricos e
históricos como expresiones de una búsqueda ontológica. Aplicamos
el término "Eones" a vastos períodos de tiempo demarcados por un
cambio verificable en la comprensión y expresión de la relación del
hombre con lo Divino, o lo que llamamos fórmulas de Iniciación.

Los términos que aplicamos a estas épocas históricas son simplemente por conveniencia de referencia. Los nombres de las deidades utilizadas son representativos únicamente de características
arquetípicas. El término "Eón de Isis" significa el período de la
prehistoria en el que los contenidos religiosos dominantes se expre-

saban en términos de un Matriarcado. Isis es el ejemplo egipcio *par excellence*. Asimismo, Osiris como esposo de Isis es una figura ideal para representar la época Patriarcal que inmediatamente sucedió a la Matriarcal. Por lo tanto, se deduce que el Eón del Niño llevaría el nombre de Horus, la descendencia de Isis y Osiris. En esto no se indica ningún prejuicio hacia el simbolismo egipcio; otros nombres de Dios ciertamente podrían haber sido seleccionados y tener el mismo significado arquetípico. Sin embargo, dado que los acontecimientos que dieron lugar al dictado del *Liber Legis* ocurrieron en Egipto, y gran parte del libro está envuelto en un lenguaje y simbolismo de influencia egipcia, es una conveniencia que encaja fácilmente en el esquema del sistema y transmite con éxito la intención más amplia de la convención.[1]

Dialéctica del Movimiento

Los filósofos cristianos, todos los cuales, en general, son en algún nivel Deterministas Espirituales, ven todo desarrollo como exógeno, que emana de Dios el Creador: Dios lo creó, Dios lo informa y Dios determinará su resultado final. La Psicología Profunda, por otro lado, presenta una visión más endógena que considera las etapas históricas del desarrollo inherentemente moldeadas por el contenido psíquico. Los profesionales de las ciencias físicas suelen respaldar un tercer punto de vista en el que los catalizadores exógenos y endógenos para el desarrollo se pueden medir de alguna manera en el laboratorio. Hay una variedad de combinaciones de todos ellos, y las descripciones anteriores no incluyen de ninguna manera todas las escuelas de pensamiento sobre el tema. Sin embargo, es suficiente para representar el argumento.

Debería ser evidente incluso para el lector más superficial de la doctrina Thelémica que no somos defensores del Determinismo. Para beneficio del lector que no está familiarizado con esta línea de pensamiento, el Determinismo es una doctrina que prescribe cada

---

1   Cf. *Liber LXI*, 23.

acto o acontecimiento a una secuencia inevitable de antecedentes. Estos antecedentes pueden ser ambientales, fisiológicos, psicológicos o espirituales, pero siempre independientes de la Voluntad Humana. La filosofía del determinismo rechaza la interacción de la Voluntad Humana. Esto es completamente antitético a la Ley de Thelema.

Mientras discutimos la progresión de los Eones, tendemos a usar términos que parecerían apoyar una influencia exógena en el desarrollo de la humanidad. La afirmación de influencia de Inteligencia Preter-humana, que en el fondo es una afirmación de interacción exógena, es un punto de vista bastante diferente al determinismo o la predestinación.

En la progresión de los Eones, de la Madre al Padre y al Niño, hay claros ecos de un proceso llamado la Dialéctica del Movimiento. Este sistema de investigación y análisis fue desarrollado por el filósofo Hegel a principios del siglo XIX. El método dialéctico de Hegel proponía que el movimiento y el progreso histórico ocurre como resultado directo de opuestos en conflicto. Esta filosofía incluye la idea de que el conflicto continúa entre lo Ideal y lo Real, o entre el Mundo Potencial y el Mundo Real. Hegel correctamente se dio cuenta de que, debido a la dualidad de la Razón, aunque busquemos la Verdad como un todo, la facultad de Razonamiento debe crear distinciones. Es una condición inherente a la *Separatio* que se desarrollen dos formas de argumentación; cada argumento se equilibra con un contraargumento. La confrontación de una con la otra producirá una tercera condición reconciliadora que se forma directamente a partir de componentes de las dos primeras y que representa un nivel superior de desarrollo. La Dialéctica del Movimiento tiene, pues, tres fases. El primer argumento es la *Tesis*, el contraargumento es la *Antítesis*. La tercera etapa es la *Síntesis*.[2]

---

2   El mismo Hegel no utilizó los términos Tesis / Antítesis / Síntesis. Estos términos se aplicaron más tarde a la exposición del Movimiento Dialéctico como un resumen conveniente del pensamiento hegeliano.

Como un ejemplo extremadamente simple, considere la Dialéctica de la Existencia:

Tesis:	No Ser
Antítesis:	Ser
Síntesis:	Devenir

O de otra manera:

Tesis:	Soy un niño. No soy un adulto.
Antítesis:	Soy un adulto. No soy un niño.
Síntesis:	Soy una persona, una vez niño. Me convertí en un adulto.

De la misma manera, la Dialéctica de la Generación formula un triple argumento que se aplica a los tres Eones:

Tesis:	Madre	Isis
Antítesis:	Padre	Osiris
Síntesis:	Niño	Horus

Otro ejemplo está representado en lo que llamaré la *Dialéctica de Thelema*.[3] Tiene dos formas básicas, una desde el punto de vista del Individuo y la segunda desde el punto de vista del Colectivo de la humanidad.

Desde la *perspectiva Individual*:

Tesis:	Nu	(posibilidades ilimitadas)
Antítesis:	Hadit	(manifestación de una posibilidad)
Síntesis:	Ra Hoor Khu	(resultado de esa unión)

Desde la *perspectiva Colectiva o Universal*:

---

3   La dialéctica de Thelema es inherentemente más compleja y requiere una extensa elucidación.

Tesis:	Nuit	(la multitud de la humanidad – la compañía del cielo)
Antítesis:	Had	(una sola persona – una Estrella)
Síntesis:	Ra Hoor Khut	(un niño – resultado de esa unión)[4]

La Síntesis producida en el proceso de Procreación es un ejemplo ideal para la formulación de la Dialéctica de Movimiento. La Madre y el Padre tienen características genéticas únicas. El Niño hereda aspectos de ambos, formando una Tercera persona única con características de ambos padres.[5]

> Pues dos cosas están hechas y una tercera cosa está comenzada. Isis y Osiris se entregan al incesto y adulterio. Horus salta tres veces armado desde el vientre de su madre. Harpócrates su gemelo está oculto dentro de él.[6]

El movimiento progresivo ocurre en esta Dialéctica porque la Síntesis resultante del argumento Tesis / Antítesis se convierte en la Tesis para el argumento subsiguiente. Por lo tanto, el movimiento resultante no es una progresión puramente lineal, sino más bien una forma de "escalón" que conduce hacia adelante y hacia arriba en escalones graduados:

$$\text{Síntesis (C)}$$
$$\uparrow$$
$$\text{Síntesis (B)} = \text{Tesis (C)} \rightarrow \uparrow \leftarrow \text{Antítesis (C)}$$
$$\text{Síntesis (A)} = \text{Tesis (B)} \rightarrow \uparrow \leftarrow \text{Antítesis (B)}$$
$$\text{Tesis (A)} \rightarrow \uparrow \leftarrow \text{Antítesis (A)}$$
$$\vdash \qquad\qquad \text{(Tiempo)} \qquad\qquad\qquad \longrightarrow$$

---

4   El Niño no necesariamente indica un niño físico nacido de la unión sexual de dos personas. Si bien ciertamente puede ser un niño real, el constructo se aplica por igual a todas y cada una de las Síntesis resultantes de la interacción de la Tesis y su Antítesis.

5   Por ejemplo, una hija recibirá ADN mitocondrial idéntico directamente de la madre, mientras que el padre aporta ADN nuclear. Un hijo hereda el cromosoma Y directamente del padre.

6   *Liber CCCLXX*, 7.

Microcosmos

Cuando aplicamos la Dialéctica del Movimiento al desarrollo psíquico de la humanidad, vemos una imagen micro-cósmica del patrón fisiológico de desarrollo. La historia de la evolución de la psique humana, y de ahí nuestros conceptos espirituales, en los que formulamos una relación entre lo personal y lo transpersonal, ha seguido un patrón que refleja perfectamente el desarrollo natural de un niño.[7] Como ha demostrado Erich Neumann en sus estudios emblemáticos *The Great Mother* y *The Origins and History of Consciousness*, la *Imago Dei* primordial es la del "Círculo" o el útero, cuando el ego todavía estaba contenido en el inconsciente.[8] En esta etapa primitiva, el ego, como un feto recién formado, aún no se había diferenciado. Para el feto, el útero lo contiene todo, alimenta y nutre, y para la conciencia prenatal del hombre primitivo, toda percepción no se diferenciaba de la *imago* del útero. No hay duda de que tal período representa la etapa primordial de lo que llamamos la época Matriarcal o Eón de Isis. La línea de tiempo para el inicio de esta etapa ciertamente habría estado en los albores del hombre, antes de la era del Neandertal y el Cromañón.

Con la formulación de una diferenciación de conciencia entre la Madre y el Niño, la percepción inicial de la distinción entre "Yo y Tú", comienza a emerger un conjunto de símbolos más desarrollado. Son característicos de la relación entre el niño posnatal y la Madre.

El Eón de Isis y los Eones de Osiris y Horus que sucedieron inmediatamente a esta época primigenia deberían considerarse dentro del marco de la Dialéctica del Movimiento:

Síntesis: **Horus**

Tesis: **Isis** $\rightarrow \uparrow \leftarrow$ Antítesis: **Osiris**

---

7   La Psicología Profunda afirma que el proceso de Individuación de cada persona sigue este mismo patrón de desarrollo.

8   Erich Neumann, *The Origins and History of Consciousness*, pp. 5–38.

Para extrapolar esta estructura básica y explicar las características esenciales de los Eones, he utilizado los términos *Introversión*, *Extraversión* y *Centroversión*[9] que se encuentran en el lenguaje de la psicología profunda. Ciertamente, hay algunos puntos en común, sin embargo, se aplican aquí estrictamente por el valor etimológico de las palabras, sin ninguna sugerencia de que se pueda inferir que su uso en esta tesis es idéntico en cualquier sentido que no sea el significado más general de las palabras.

Introversión

Introversión significa "dirigir hacia adentro." En el uso común se usa para denotar a personas que concentran sus intereses en sí mismas, o tipos de personalidad que no se dan a formas de expresión externa. Aquí se utiliza para denotar una época compuesta y estructurada interiormente en la que el simbolismo de lo femenino es el marco en el que se expresan e interpretan los teoremas ontológicos. El Eón de Isis era prototípico de la *Introversión*. La Gran Madre creaba todas las cosas, dominaba toda la creación y, al final, todo volvía al útero envolvente. Para la humanidad, en los albores de la espiritualidad, la gran diosa, bajo una variedad de nombres y aspectos reinaba sobre la psique.

Después de un período normal de crecimiento, un bebé encuentra que el refugio del útero es constrictivo y, en la lucha por el nacimiento, se separa de la madre, pero aún depende de ella para su nutrición, protección y cuidado. Para el recién nacido, la Madre es el centro alrededor del cual evoluciona toda la vida. Aunque ahora se diferencia físicamente de la Madre, el bebé todavía depende de ella para su alimento, consuelo y amor.[10] Durante esta fase del desarrollo psíquico, la *Imago Dei* era la de la Madre, y la relación con las

---

9   El término "Centroversión" fue acuñado por Erich Neumann.

10   Estudios recientes han demostrado que los bebés privados del afecto y el contacto humano no se desarrollan adecuadamente emocional y mentalmente. Una de las principales características asociadas con muchas de las deidades de la Matriarca es el Amor.

Diosas Madres reflejaba la de un bebé pos-nacido. La Madre reinaba suprema sobre toda la tierra y el cielo. Los misterios de la concepción, el nacimiento, la vida y la muerte estaban todos dentro del dominio de la Gran Madre.[11] Todas las cosas brotaban de su vientre y todas las cosas después de la muerte regresaban a la tierra de la cual ella también era el avatar. Como mencioné anteriormente, este período es prehistórico, pero los artefactos fragmentarios desenterrados por los arqueólogos dan testimonio de la supremacía de la matriarca durante esta época.[12] Era la época del Eón de Isis, que conocemos por vestigios de leyendas e imágenes que quedan, pero cuyos orígenes son anteriores a los registros históricos escritos del hombre.[13]

Extraversión

La época de la Extraversión es la del Eón de Osiris y el surgimiento de los Dioses Patriarcales dominantes. Se podría enumerar una gran cantidad de tales deidades, y solo arañamos la superficie al mencionar a Osiris, Amón, Attis, Jehovah, Júpiter, Odín, etc. Un niño en desarrollo pronto afectará una *Separatio* de la Madre para comenzar a formular la independencia. Asimismo, los dioses del período patriarcal emergieron de bajo la sombra del dominio de la Madre y

---

11   Ver también capítulo 1.

12   La Supremacía de la Época Matriarcal no debe entenderse como supremacía sociológica. No requiere un tiempo en el que el mundo fuera gobernado por Amazonas armadas, con sus talones sobre el cuello de los hombres. El dominio matriarcal se produjo a nivel arquetípico.

13   Crowley da el número de años para cada Eón como aproximadamente 2000 años. Sin embargo, basado en 1904 como la génesis del Eón del Niño, esto situaría los orígenes del Eón de Osiris en el 100 a. C. aproximadamente, y el Eón de Isis a partir del 2100 a. C. aproximadamente. La evidencia histórica no respalda esa línea de tiempo. El Período Patriarcal estaba en pleno florecimiento ya en el año 2100 a. C. La definición de Crowley de los Eones se basó en la progresión astrológica del Zodíaco. Estas visiones son irreconciliables con la evidencia histórica y, por lo tanto, deben reconsiderarse. Si queremos comprender verdaderamente la progresión de los Eones, debemos hacerlo mediante el estudio de la evidencia empírica, y no mediante la adhesión estática a las interpretaciones tradicionales. El Método de la Ciencia no puede ser paralizado por el Objetivo de la Religión.

se afirmaron, subyugando a la Madre a un rol de apoyo.

Como podría esperarse desde una perspectiva extravertida, el período Patriarcal se caracterizó por la expansión hacia el exterior de las culturas, el desarrollo de la agricultura, el avance del arte, la escritura, la filosofía y de armamentos más sofisticados y letales. Esto no sugiere que esta evolución natural haya ocurrido simultáneamente en todo el mundo. Una demarcación firme y unificada es imposible e improbable, en cualquier caso. Incluso a nivel personal, no todos los niños se desarrollan exactamente al mismo ritmo, incluso dentro de un grupo familiar común. Para aclarar este punto, considere que proclamamos que el Nuevo Eón comenzó en 1904 e.v. En el momento de este escrito, está claro que grandes cambios en la psique del hombre están comenzando a remodelar el planeta. Sin embargo, sería ingenuo asumir que todos sus habitantes en este momento comparten un punto de vista completamente nuevo. La levadura está funcionando incluso ahora y dará más fruto a su debido tiempo. Sin embargo, no debemos olvidar que transiciones como estas son antagónicas de muchas maneras a las estructuras establecidas y se enfrentan con hostilidad. El Eón de Osiris usurpó al Eón de Isis, y podemos asumir con seguridad que no fue recibido con brazos abiertos, abrazos y besos. Del mismo modo, el Eón de Horus llega ahora como el extranjero en medio del campo del Padre gobernante, el hereje al sacerdocio y el revolucionario a las costumbres sociales existentes.

Además Adonai habló a V.V.V.V.V. y dijo: Tomemos nosotros nuestro deleite en la multitud de hombres! Moldeemos para nosotros mismos una barca de madre-de-perla a partir de ellos, para que nosotros podamos navegar sobre el río de Amrit! Ves tú aquel pétalo de amaranto, soplado por el viento desde las dulces cejas bajas de Hathor? (El Magister lo vio y se regocijó en la belleza de ello.) Escucha! (Desde un cierto mundo vino un lamento infinito.) Ese pétalo cayendo parecía a los pequeños una ola para sumergir su continente. Así ellos reprocharán a tu sirviente, diciendo: Quién te ha puesto para salvarnos?[14]

---

14 *Liber LXV*, I:32–37.

Centroversión

El advenimiento del Nuevo Eón inició un nuevo período en el desarrollo humano que es una Síntesis teórica y práctica de sus precursores. Abarcando características tanto del Eón Introvertido como del Extravertido, como un niño que hereda los rasgos de la Madre y el Padre, el Eón de Horus formula un tercer período que está estableciendo un punto de vista único independiente de sus predecesores. El punto de vista de esta etapa terciaria es definitivamente Centrovertido. Compuesto por aspectos tanto Introvertidos como Extravertidos, el Eón Centrovertido propone una condición que destila la esencia de su herencia y establece una perspectiva individual única que supera esa herencia en todas sus formas. Un aspecto simbólico esencial del Eón Centrovertido es que este niño no es ni hombre ni mujer. El Niño Horus es hermafrodita. Por ello, como solo un ejemplo, podemos prever el total rechazo del prejuicio en todas sus formas. Esto tomará tiempo en dar fruto, pero en las sociedades occidentales, desde el advenimiento del Eón de Horus, en la arena sociológica ya hemos visto el avance del Movimiento de la Liberación de las Mujeres, el Movimiento por los Derechos Civiles y los movimientos por la libertad sexual, ya sea heterosexual u homosexual. El Eón es todavía joven, y vemos estos avances esperanzadores como meras sombras de una próxima era de libertad en la que la humanidad rompa los lazos de una tiranía de restricción.

Volverse al Centro

Para los propósitos de esta tesis con respecto a las prácticas individuales del Sistema, la *Introversión* puede considerarse idéntica al Misticismo en contraposición a *Magick*, que es un método funcional de *Extraversión* aplicada. *Magick* es expansión; el proceso de cambio se realiza mediante la extensión de los sentidos. El Misticismo es contracción; el cambio se ve afectado por la práctica dirigida hacia adentro. Ambos métodos tienen aspectos activos y pasivos.

La *Centroversión* es la combinación de ambos métodos en una aplicación equilibrada. Sin embargo, por otro lado, Centroversión tiene un carácter propio. De acuerdo con la teoría de la Dialéctica del Movimiento, siempre podemos esperar que la función Centrovertida incluya aspectos de las funciones Introvertidas y Extravertidas mientras se está formulando una condición independiente. Esto es muy difícil de definir en términos de nuestro Sistema para los no iniciados, pero el Dominus Liminis de la A∴A∴ lo comprenderá si doy el *Hieros gamos*, comúnmente llamado la *Misa del Espíritu Santo*, como solo un ejemplo de una aplicación práctica de este teorema.[15]

La Amarga Verdad

En el capítulo 5 del *Liber LXV*, la llegada del Nuevo Eón se compara con una Estrella que cae del cielo sobre la tierra.[16] Este acontecimiento se describe por primera vez en el capítulo 1 del *Liber LXV* como un pétalo de amaranto[17] cayendo soplado por el viento.[18] La

---

15 También podemos incluir aquí la Ecuación Cero = Dos: $(+1) + (-1) = 0$.

16 *Liber LXV*, V:5.

17 Cf. capítulo 5 de este libro. El simbolismo del advenimiento del Nuevo Eón, el Señor del Eón (Heru-ra-ha) y el Mesías de este Eón (V.V.V.V.V.) a menudo se superponen y, por lo tanto, a veces son indistinguibles. Estos símbolos tienen una elasticidad inherente debido a su carácter Universal. El pétalo de amaranto que cae es un buen ejemplo, representando simultáneamente al Mesías, al Señor del Eón y al Eón mismo. El propio Crowley tenía una tendencia a interpretar los Libros Sagrados desde la perspectiva individual de su propio logro, lo cual es comprensible. Como Escriba de los Libros Sagrados y avatar del Nuevo Eón, son particularmente válidos desde ese punto de vista. Sin embargo, sus Comentarios a veces fallan en captar el punto de vista transpersonal pertinente al mundo en general, o fallan en notar las sutiles distinciones entre 666, V.V.V.V.V. y el Escriba. Cf. su comentario sobre *Liber LXV*, V:3 donde intenta en vano interpretar la "ciudad gris" literalmente como Londres y pierde todo el sentido del verso. En este caso, tuvo la sabiduría de cuestionar la validez de su propia interpretación, pero claramente los árboles no le dejaron ver el bosque.

18 *Liber LXV*, I:34.

dicotomía del simbolismo aquí es sorprendente y tiene un mensaje importante. El Nuevo Eón en realidad hace su aparición suavemente, como un pétalo de flor que cae. Sin embargo, los seguidores de las doctrinas del Antiguo Eón lo perciben como un Tsunami que inunda su mundo,[19] o como un terremoto, una plaga y un terror. [20] El simbolismo de la destructiva Estrella cayente también se encuentra en el Libro del Apocalipsis, que aparece con la Tercera Trompeta del Juicio:

> Y el tercer ángel tocó la trompeta, y cayó del cielo una grande estrella, ardiendo como una antorcha, y cayó en la tercera parte de los ríos, y en las fuentes de las aguas: Y el nombre de la estrella se dice Ajenjo. Y la tercera parte de las aguas fue vuelta en ajenjo: y muchos murieron por las aguas, porque fueron hechas amargas.[21]

Esta estrella se llama "Ajenjo" (ἄψινθος) porque amarga y envenena las aguas de la tierra. Este versículo del Apocalipsis recuerda un pasaje del Libro de Amós en el Antiguo Testamento:

> Ustedes que convierten el derecho en ajenjo y echan por tierra la justicia, busquen al que hizo las Pléyades y el Orión, que a las tinieblas convierte en mañana, y que hace oscurecer el día hasta que se hace noche. Busquen al que llama a las aguas del mar y las derrama sobre la superficie de la tierra. ¡El Señor es su nombre!²²

Es importante recordar que aquí estamos tratando con un simbolismo arquetípico, y en lo que concierne al Libro del Apocalipsis citado anteriormente, es el del Anticristo, quien, para toda intención y

---

19   *Liber LXV*, I:36

20   *Liber LXV*, I:57

21   Apocalipsis 8,10–11 (RVA).

22   Amós 5,7–8. (RVA-2015). "Ajenjo" es una traducción de לענה, de una raíz desusada לען, en árabe لعن maldecir. (*Gesenius' Hebrew-Chaldee Lexicon to the Old Testament Scriptures*, p. 440.)

propósito, es exactamente lo opuesto a la figura de Cristo. Los autores[23] del Apocalipsis seguramente habrían estado familiarizados con este pasaje del Libro de Amós, donde se define al Señor como el creador de los mares sobre la tierra que están envenenados con la amargura del Ajenjo por su némesis. Jung ha notado cómo la aparición de esta figura Anticristiana fue necesaria por el desequilibrio creado en la psique cuando la figura divina de Cristo fue completamente desprovista de oscuridad por sus seguidores:

> Psicológicamente el caso es claro, ya que la figura dogmática de Cristo es tan sublime y sin mancha que todo lo demás se oscurece a su lado. De hecho, es tan unilateralmente perfecto que exige un complemento psíquico para restablecer el equilibrio. Esta inevitable oposición condujo muy pronto a la doctrina de los dos hijos de Dios, de los cuales el mayor se llama Satanaël. La venida del Anticristo no es solo una predicción profética, es una inexorable ley psicológica cuya existencia, aunque desconocida para el autor de las Epístolas de Juan, le trajo un conocimiento seguro de la inminente enantiodromía.[24] En consecuencia, escribió como si fuera consciente de la necesidad interior de esta transformación, aunque podemos estar seguros de que la idea le pareció una revelación divina. En realidad, cada diferenciación intensificada de la imagen de Cristo produce una acentuación correspondiente de su complemento inconsciente, aumentando así la tensión entre arriba y abajo.[25]

La "fogosa estrella que cae sobre la obscuridad de la tierra" (*LXV*, V:5) y la estrella que se llama "Ajenjo" en el Apocalipsis son idénticas, la primera satisfaciendo la inevitable necesidad de restablecer el balance dentro de la psique. Los escritores cristianos que escri-

---

23 Desde un análisis crítico del Libro del Apocalipsis queda claro que más de un escritor contribuyó al texto.

24 "Enantiodromía," un término acuñado por Jung para describir el punto de extremidad donde una cosa comienza a cambiar en su opuesto exacto.

25 Jung, *Aion*, pp. 42–43.

bieron el Apocalipsis pudieron ver este suceso como nada más que catastrófico y una señal del "tiempo del fin", ya que, como la mayoría de los creyentes, estaban atrapados en una doctrina unilateral en la que a la divinidad se le niega la omnipotencia y la omnipresencia por la ausencia de oposición autónoma. La apariencia del *oppositorum* en tales casos se considera hostil y la interpretación que se proyecta sobre él es de carácter negativo. Esto se traslada al día actual. Por lo tanto, los comentaristas cristianos fundamentalistas vinculan la estrella de "Ajenjo" con una referencia del Libro de Isaías:

¡Cómo caíste del cielo, oh Lucero, hijo de la mañana![26]

A su vez, este versículo se identifica con un pasaje del Evangelio de Lucas, que también es la misma estrella cayente descrita en nuestro Libro Sagrado, *Liber LXV*, V:5

Yo veía á Satanás, como un rayo, que caía del cielo.[27]

Para los de mente simple y literalmente inclinados, permítanme apresurarme a aclarar este punto: los Thelemitas no "adoran a Satán" ni se suscriben a tales tonterías. La palabra "Satán" (שטן) significa "adversario."[28] El Nuevo Eón en muchos sentidos se opone a los principios del Eón de Osiris y, en este sentido, es sin duda el acusador de sus hermanos. La identificación personal por Crowley de Satán con Aiwass se ha malinterpretado atrozmente como una admisión de satanismo. El lector debería consultar la introducción editorial de Hymenaeus Beta en la publicación Oficial de la A∴A∴

---

26   Isaías 14, 12 (RVA). La palabra הילל, *stella lucida* o "estrella brillante" se traduce en la Versión Autorizada de la Biblia como "Lucifer" (portador de luz).

27   Lucas 10,18 (RVA).

28   *Gesenius' Hebrew-Chaldee Lexicon to the Old Testament Scriptures*, p. 788. La palabra es dada en el Nuevo Testamento en griego como Σατᾶν.

de *Libro Cuatro*[29] para una explicación detallada de este tema. Él concluye sabiamente su discusión con una firme advertencia:

> Dada la ridícula connotación moderna de criminalidad sociópata del satanismo, llamar a los Thelemitas "satanistas", como se ha hecho a veces, es calumnia o libelo.[30]

Por lo tanto, no es de extrañar que la percepción común de los cambios inevitables que producirá el Nuevo Eón sea de hostilidad y amargura. Tenemos amplia evidencia en el mundo de hoy de que el Dios de una persona o grupo es el Diablo de otro. A lo largo de 2000 años de historia, marcados por persistentes desviaciones doctrinales y corrupción, el cristianismo se ha ido pudriendo hasta el punto en que el objeto de culto es completamente desconocido. Los cristianos no han prestado atención a las advertencias de sus propias escrituras:

> Porque éstos son falsos apóstoles, obreros fraudulentos, transfigurándose en apóstoles de Cristo. Y no es maravilla, porque el mismo Satanás se transfigura en ángel de luz. Así que, no es mucho si también sus ministros se transfiguran como ministros de justicia; cuyo fin será conforme á sus obras.[31]

Aquí hay un gran misterio que revela el verdadero carácter del cristianismo moderno, arrojando la luz de la verdad en los rincones oscuros de su corazón. Es un misterio que nosotros declaramos, pero del que los cristianos no se dan cuenta, siguiendo ciegamente al verdadero pastor de su rebaño:

---

29 *Magick, Liber ABA, Libro Cuatro*, Partes I-IV, segunda edición revisada, pp. lxiii-lxiv.

30 loc. cit.

31 II Corintios, 11:13–15. (RVA)

Agnus Dei

Y Satán es venerado por los hombres bajo el nombre de Jesús ...[32]

En *La visión y la voz* hay un relato sorprendente de la visión de Atu X, La Rueda, la rueda del *samsara*. La Rueda está bordeada por una serpiente esmeralda, una forma del Uroboros, emblemática de la eternidad. Tres animales se sientan en la rueda: un cuervo, un lobo y un cordero. El cordero se sienta en la parte superior de la rueda, en la figura del *Agnus Dei*, el conocido emblema cristiano del cordero y la bandera.

Sigue el discurso del cordero:

El Cordero habla: Yo soy el más grande de los engañadores, pues mi pureza e inocencia seducirán a los puros e inocentes, quienes salvo por mí deberían venir al centro de la rueda. El lobo traiciona solo a los avariciosos y a los traicioneros; el cuervo traiciona solo a los melancólicos y los deshonestos. Pero yo soy aquel de quien

---

32 *Liber CDXVIII*, 3.er Éter. Se dice que los cuatro grandes príncipes del mal del mundo, Satán, Lucifer, Leviatán y Belial, gobiernan el cristianismo, el hinduismo, el islam y el budismo, respectivamente.

está escrito: Él engañará a los mismísimos escogidos. Pues en el comienzo el Padre de todo convocó a espíritus mentirosos para que ellos tamizaran a las criaturas de la tierra en tres tamices, de acuerdo a las tres almas impuras. Y él escogió al lobo para la lujuria de la carne, y al cuervo para la lujuria de la mente; pero a mí él me escogió por encima de todos para simular la instigación pura del alma. A aquellos que han caído presa del lobo y el cuervo yo no he dañado; pero a aquellos que me han rechazado, yo les he entregado a la ira del cuervo y el lobo. Y las mandíbulas del uno los han desgarrado, y el pico del otro ha devorado el cadáver. Por tanto es mi bandera blanca, porque yo nada sobre la tierra he dejado vivo. Yo me he dado un festín con la sangre de los santos, pero los hombres no sospechan que yo sea su enemigo, pues mi lana es blanca y cálida, y mis dientes no son los dientes de uno que desgarra carne; y mis ojos son dulces, y ellos no saben que soy el jefe de los espíritus mentirosos que el Padre de todo emitió de ante su faz en el comienzo.[33]

El Pilar en el Vacío

La aparición del Eón del Niño cumple los mitos y la función espiritual de los dos Eones anteriores. Al comienzo de este capítulo, se citó el versículo 5 del quinto capítulo del *Liber LXV*, que dice "Ahora está el Pilar establecido en el Vacío." Aquí hay claramente una comparación con el Pilar del Medio en el Árbol de la Vida que equilibra el Pilar de la Merced y el Pilar de la Severidad, que por analogía significan el Eón Patriarcal (Pilar de la Merced) y el Matriarcal (Pilar de la Severidad). El uso significativo de la palabra "Vacío" indica los Tres Velos de lo Negativo, que son אין (Ninguna Cosa), אין סוף (Ningún Límite) y אין סוף אור (Luz Ilimitada). Compare el primer versículo de *Liber Trigrammaton*:

---

33   *Liber CDXVIII*, 20.º Éter.

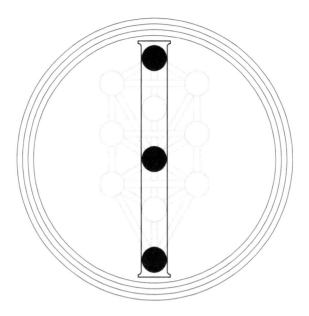

El Pilar en el Vacío

⋮

Aquí está Nada bajo sus tres formas. No es, mas informa toda cosa.[34]

La frase "Nada bajo sus tres" (en inglés "Nothing under its three") oculta un notariqon de Nuit: [N]*othing* [u]*nder* [i]*ts* [t]*hree*. Esto produce la curiosa frase "Aquí están las formas de N.u.i.t." Las tres "formas" son por supuesto informes, no teniendo límites, pero representan el campo de posibilidades en el que se produce la manifestación.[35] En su comentario sobre *Liber Trigrammaton*, Crowley atribuye el Trigrama ⋮ a la forma mayúscula de la letra inglesa "I."[36] Por su forma, la letra "I" es la de un Pilar, y corresponde al

---

34   *Liber XXVII*.

35   Cf. *Liber CCXX*, I:45.

36   Este comentario fue publicado por la A∴A∴ en Equinox, IV:1 "*Commentaries to the Holy Books and other papers*" p. 346.

Trigrama ⁝ , y significa el Pilar en el Vacío.[37]

En el Trigrama ⁝ los tres puntos representan el Tao en todas las tres posiciones de la figura. Las tres posiciones en los Trigramas, que se leen de abajo hacia arriba, se atribuyen de la siguiente manera:

Línea 3 (superior)	Cielo	Lo Intuitivo	Neshamah[38]
Línea 2 (media)	Hombre	Lo Racional	Ruach
Línea 1 (inferior)	Tierra	Lo Instintivo	Nephesh

Proyectado sobre el Árbol de la Vida, vemos el carácter inclusivo del Trigrama ⁝ formando el Pilar del Medio, en medio del campo Negativo de posibilidades.

El Pilar, que es Hoor en su forma de *Heru-ra-ha*, el Señor del Nuevo Eón, se establece o se manifiesta al ser "bajado al Alma Animal de las cosas", que es el Nephesh del mundo. Exactamente de la misma manera en que ocurre nuestra primera interacción con el Santo Ángel Guardián en el nivel del Nephesh,[39] el primer encuentro del mundo con su nuevo Señor ocurre en el nivel de los Instintos inconscientes. La influencia del Señor del Eón llega a través de Kether, la primera Sephira del Árbol de la Vida. En realidad, esta concepción es solo para nuestras percepciones limitadas, ya que su Naturaleza está completamente más allá del Árbol de la Vida, dentro del Vacío de las Tres Formas de Nada. Funcionalmente, opera a través de las Supernas, Kether-Chokmah-Binah. Los cambios en el

---

37 La letra inglesa "I" se deriva del griego Iota que originó con Yod (׳) la letra más simple de la que se derivan todas las letras hebreas por extensión y permutación. De esta manera, es la raíz de la forma. La "I" o Yod es indicativa del Falo, aquí unido con el Vacío o la Vagina, formando simbólicamente Φ por tanto Φαλλος + Κτεις.

38 El aspecto más elevado del Alma es en realidad una Trinidad compuesta por Yechidah (la Chispa de Deidad), Chiah (Voluntad) y Neshamah (Intuición). Los tres se agrupan bajo el título principal de lo Intuitivo, ya que funcionan como una unidad colectiva. Dado que estas funciones están por arriba del Abismo y, por tanto, más allá de la Razón, cualquier afirmación que pueda hacerse sobre ellas tiende hacia lo Negativo más que hacia lo Positivo.

39 Ver capítulo 6 para una discusión detallada de este proceso.

mundo material solo se efectúan por esta influencia que es "bajada" al Nephesh del mundo (el nivel Instintivo) y forma una conexión directa e ininterrumpida con el Ruach del mundo (el nivel Intelectual) y, en última instancia, con el Neshamah (el nivel Intuitivo). El vínculo está simbolizado por El Pilar en el Vacío. La influencia sobre el Nephesh del mundo fue como la de plantar una semilla en suelo fértil. Una vez que se planta la semilla, el agricultor regresa a su casa y espera a que la tierra dé fruto. De la misma manera, la influencia Superna regresó a su oscuro hogar sobre el Abismo, porque esa Estrella no puede soportar el toque de lo profano y se protege de la mirada de los indignos. Por lo tanto, entonces se dice:

> Así como el diamante irradiará rojo para la rosa, y verde para la hoja de rosa; así tú habitarás aparte de las Impresiones. Yo soy tú, y el Pilar está 'stablecido en el vacío. También tú estás allende las estabilidades de Ser y de Conciencia y de Dicha; pues yo soy tú, y el Pilar está 'stablecido en el vacío. También tú discursarás de estas cosas al hombre que las escribe, y él participará de ellas como un sacramento; pues yo quien soy tú soy él, y el Pilar está 'stablecido en el vacío. Desde la Corona hasta el Abismo, así va único y erecto. También la esfera ilimitada irradiará con el brillo de esta.[40]

La Séptuple Disposición de Hoor

La Naturaleza todo-inclusiva del Señor del Eón gobierna las funciones Introvertidas, Extravertidas y Centrovertidas. Sin embargo, al poseer el carácter universal todo-inclusivo, Él los abarca por completo y los supera. Él es Todo, Él es Uno, Él es Ninguno. Por lo

---

40 *Liber LXV*, V:22–26. Tenga en cuenta que la "E" ahora es eliminada de la palabra "establecido". En el comentario sobre *Liber Trigrammaton*, la letra E es atribuida al Trigrama ☰ que es asignado a Daath en el Árbol del Vida chino. El "Pilar" se ha retirado más allá del toque de la facultad de Razonamiento, y solo es directamente accesible por el Ángel que es uno con el Magister que se comunica con su Adepto, quien a su vez se relaciona con el candidato.

La Séptuple Disposición de Hoor

tanto, estos atributos son Omniversión (Todo), Universión (Uno) y Nuliversión (Ninguno).[41]

La Introversión, la Extraversión y la Centroversión todas tienen cualidades "activas" y "pasivas". Quizás sería más exacto referirse a estas cualidades como "Sistólicas" (contraídas) y "Diastólicas" (expandidas), de acuerdo con el sentido del Yin y el Yang, Cedente y Firme. Las tres líneas de los Trigramas se atribuyen de la siguiente manera:

Línea 3 (superior)	Externo	Extraversión	Cielo
Línea 2 (media)	Centro	Centroversión	Hombre
Línea 1 (inferior)	Interno	Introversión	Tierra

---

41 La doctrina implícita es que Todo está contenido dentro de Kether (el Uno) que = Ninguno.

El *Tao Teh Ching* afirma que "el espacio entre el Cielo y la Tierra es su aparato respiratorio."[42] Este pasaje se interpreta comúnmente como los Trigramas entre ☰ y ☷. Aunque esto es válido, los Trigramas en *manifestación* representan una etapa posterior de desarrollo. Inicialmente, se refiere a la *Línea Media de los Trigramas*, la Línea del Hombre. Esta importante doctrina coloca al hombre mismo en el centro como la Sístole y la Diástole tanto de lo Externo o Exotérico (Cielo) como de lo Interno o Esotérico (Tierra).

> No manifestado, (Tao) es el Padre Secreto del Cielo y la Tierra. Manifestado, es su Madre.[43]

Combinando Introversión, Extraversión y Centroversión con Omniversión, Universión y Nuliversión, resultan siete formas, que se atribuyen a los siete Trigramas iniciales del *Liber XXVII*:

Omniversión/Universión/Nuliversión	⁞
Introvertido (Diastólico)	⊥
Introvertido (Sistólico)	⊼
Centrovertido (Diastólico)	÷
Centrovertido (Sistólico)	∻
Extravertido (Diastólico)	⊤
Extravertido (Sistólico)	⊽

Estas siete formas, todas referidas a Trigramas que representan influencias que están por arriba del Abismo, también pueden referirse a la Naturaleza séptuple de Hoor. Los misterios de la disposición séptuple de Hoor se revelan por primera vez en *Liber CDXVIII* en el 22.º Éter. Comienza con una revelación de tres aspectos, que no son otros que Extraversión, Introversión y Centroversión.

---

42   Lao Tzu, *Tao Teh Ching*, (trad. Aleister Crowley), capítulo 5.

43   Ibíd., capítulo 1.

Mis brazos estaban fuera en forma de cruz, y esa Cruz fue exten-
dida, centelleando con luz al infinito. Yo mismo soy el punto más
minúsculo de ella. Este es *el nacimiento de la forma.*

Yo estoy circundado por una inmensa esfera de bandas mul-
ticolor; parece que es la esfera de las Sephiroth proyectada en las
tres dimensiones. Este es *el nacimiento de la muerte.*

Ahora en el centro dentro de mí está un sol irradiante. Este es
el nacimiento del infierno.[44]

Aquí nuevamente encontramos las Tres fases representadas por las
líneas del Trigrama. Crowley explica que el "nacimiento de la forma" es la concepción del Sí-Mismo en extensión. El "nacimiento de
la muerte" es la concepción del Sí-Mismo extendido, no en la cruz
equilibrada positiva, sino en el círculo (o esfera) negativo de Nuit.
El "nacimiento del infierno" es la concepción de la propia Estrella
como el Verdadero Sí-Mismo de uno.[45] En comparación, el Sí-Mismo en extensión es Extraversión. El Sí-Mismo extendido a lo negativo (contraído) es la Introversión. El "nacimiento del infierno", la
percepción de la Naturaleza más íntima de uno, es Centroversión.

La Visión continúa con la voz de Heru-ra-ha:

La voz del Niño Coronado, el Habla del Bebé que está oculto en el
huevo de azul. (Ante mí está la Rosa Cruz flameante.) Yo he abierto mi ojo, y el universo está disuelto ante mí, pues fuerza es mi
párpado superior y materia es mi párpado inferior. Yo contemplo
los siete espacios, y nada hay.

El resto de ello viene sin palabras; y entonces nuevamente:

Yo he marchado a la guerra, y yo he matado al que se sentaba
sobre el mar, coronado con los vientos . Yo extendí mi poder y él
se quebró. Yo retiré mi poder y él fue molido a polvo fino .

Regocijaos conmigo, O, vosotros, Hijos de la Mañana;[46] er-
guíos conmigo sobre el Trono de Loto; reuníos a mí, y nosotros

---

44 *Liber CDXVIII*, 22.º Éter.

45 *Equinox*, IV:2, p. 81 nota pie de página.

46 Cf. Isaías 14,12 donde Lucifer es llamado el "hijo de la mañana."

jugaremos juntos en los campos de luz. Yo he pasado al Reino del Oeste tras mi Padre[47]

Mirad! dónde están ahora la obscuridad y el terror y la lamentación? Pues vosotros nacéis al nuevo Eón; vosotros no sufriréis muerte . Ataos los cintos de oro! Engalanaos con guirnaldas de mis flores inmarcesibles![48] Por las noches nosotros bailaremos juntos, y por la mañana nosotros marcharemos a la guerra; pues, como mi Padre que estaba muerto vive, así yo vivo y nunca moriré…

… una voz terrible exclama: Fuera! Tú has profanado el misterio; tú has comido del pan de proposición; tú has derramado el vino consagrado! Fuera! Pues la Voz está cumplida. Fuera! Pues aquello que estaba abierto está cerrado. Y tú no valdrás para abrirlo, salvo en virtud de aquel cuyo nombre es uno, cuyo espíritu es uno, cuyo individuo es uno, y cuya permutación es una;[49] cuya luz es una, cuya vida es una, cuyo amor es uno. Pues aunque tú estés unido al misterio más íntimo del cielo, tú debes cumplir la tarea séptuple de la tierra, así como tú viste a los Ángeles del mayor al menor. Y de todo esto tú no llevarás de vuelta contigo sino una pequeña parte, pues el sentido será obscurecido, y el santuario re-velado. Mas sabe esto para reproche tuyo, y para la agitación de descontento en aquellos cuyas espadas son de listón, que en toda palabra de esta visión está ocultada la clave de muchos misterios, incluso del ser, y del conocimiento, y de la dicha[50]; de la voluntad, del coraje, de la sabiduría, y del silencio , y de aquello que,

---

47 El Padre Osiris. Cf. capítulo 3, "Oeste y Este."

48 La "flor inmarcesible" es el Amaranto. Véase nuevamente *Liber LXV*, I:34-36.

49 ARARITA, un nombre de siete letras para Dios que significa "Uno es Su Principio; Una es Su Individualidad: Su Permutación es Una." La fórmula de ARARITA se utiliza para equiparar cualquier idea con su opuesto.

50 Ser, Conciencia y Dicha (Sat-Chit-Ananda). Cf. *Liber I*, 17, donde estos son relacionados con el trigrama ⦂ : Siguiendo dicho método, será fácil para Él combinar esa trinidad desde sus elementos, y además combinar Sat-Chit-Ananda, y Luz, Amor, Vida, tres por tres en nueve que son uno, meditación en la cual el éxito será Aquel que Le fue presagiado primero en el grado de Practicus (que refleja a Mercurio en el mundo más bajo) en Liber XXVII, "Aquí está Nada bajo sus tres Formas."

Los Siete Palacios del Árbol de la Vida

siendo todos estos, es mayor que todos estos. Fuera! Pues la noche de la vida ha caído sobre ti. Y el velo de luz oculta aquello que es.[51]

La tarea Séptuple y los aspectos séptuples de Introversión, Extraversión, Centroversión, Omniversión, Universión y Nuliversión pueden ser directamente relacionados con los Siete nombres de Hoor que son:

Hoor-paar-kraat, Ra-Hoor-Khuit, Heru-pa-kraath, Ra-Hoor-Khu, Ra-Hoor-Khut, Heru-ra-ha y Hoor-pa-kraat.[52]

Es imperativo notar que la "tarea Séptuple de la tierra" incluye las diez Sephiroth del Árbol de la Vida, no simplemente las siete

---

51 *Liber CDXVIII*, 22.º Éter.

52 Cf. *Liber CCXX*, I:7, 36, 49, 52, II:8, 64, III: 1, 35.

Sephiroth debajo del Abismo. Cuando la Voz de Heru-ra-ha en el 22.° Éter proclama: "Yo contemplo los siete espacios, y nada hay," la referencia es a los Siete Palacios de las Sephiroth, que abarcan todo el Árbol de la Vida.

Ahora bien, los lectores pueden preguntarse qué tiene que ver una doctrina tan compleja con su estudio y práctica individual. ¿Cómo es esto relevante?

En el primer capítulo de este libro, señalé que la revelación del Eón de Horus implicó una transformación de la Primera Materia (el Hombre) en la Sustancia Arcana, y que la Piedra de los Sabios era una Piedra Negra. Esta Obra florece para el estudiante por el proceso de descubrimiento de este Lapis secreto, y la larga y ardua tarea de comprender el carácter séptuple del Señor del Eón, similar en cada uno de nosotros, y también de una manera única, según nuestra Verdadera Voluntad.

> A través de la media noche tú eres dejado caer, O, mi niño, mi conquistador, mi capitán ceñido con espada, O, Hoor! y ellos te encontrarán como una piedra luciente deforme y negra, y ellos te venerarán.
>
> Mi profeta profetizará concerniente a ti; alrededor de ti las doncellas danzarán, y bebés radiantes nacerán de ellas. Tú inspirarás a los orgullosos con orgullo infinito, y a los humildes con un éxtasis de abatimiento; todo esto trascenderá lo Conocido y lo Desconocido con algo que ningún nombre tiene. Pues es como el abismo del Arcano que es abierto en el Sitio secreto de Silencio.[53]

Sin embargo, ante doctrinas tan difíciles que requieren un estudio diligente de una gran cantidad de materia, mientras se persiguen prácticas minuciosas que parecen tan alejadas de la teoría, uno puede preguntarse cómo puede ser aplicable a cualquier estudiante joven. Me refugiaré en las palabras de alguien mucho más grande que yo y las aplicaré directamente a esta pregunta.

---

53 *Liber LXV,* V:6–7.

Le Maison Dieu   *Le Feu Du Ciel*

Hombres y mujeres de la Tierra, a vosotros yo he venido de los Antaños allende los Antaños, del Espacio allende vuestra visión; y yo os traigo estas palabras.

Pero ellos no le oyeron, pues ellos no estaban listos para recibirlas.

Pero ciertos hombres oyeron y comprendieron, y a través de ellos este Conocimiento será hecho conocido.

El menor por tanto de ellos, el sirviente de todos ellos, escribe este libro.

Él escribe para los que están listos. Así es conocido si uno está listo, si él estuviere dotado con ciertos dones, si él fuere apto por nacimiento, o por riqueza, o por inteligencia, o por algún otro signo manifiesto. Y los sirvientes del maestro por su perspicacia juzgarán de estos.

Este Conocimiento no es para todo hombre; pocos de hecho son llamados, pero de estos pocos muchos son escogidos.

Esta es la naturaleza de la Obra.[54]

---

54 *Liber X*, 4–10. Los principiantes no deben pensar que "riqueza" significa necesariamente bienes mundanos. Cf. *Liber LXV*, III:61, IV:11–12, y V:20.

El Sigilo de A∴A∴

La Torre de Dios

El Pilar descrito anteriormente también tiene un reflejo que se representa en Atu XVI, La Torre. Este Triunfo del Tarot se atribuye a la letra hebrea פ y al planeta Marte ♂. En el Tarot Thelémico, la imagen de la carta está dominada por un gran ojo, que es el Ojo en el Triángulo, del Sigilo de A∴A∴ el Ojo de Hoor.

La Carta representa la destrucción del mundo material por el fuego, que emana de una gran boca en la parte inferior de la Carta. La letra hebrea פ significa "boca." El Ojo en la parte superior de la Carta se ha comparado con el Ojo abierto de Shiva que destruye todas las cosas.[55] El trabajo del Colegio Externo de la A∴A∴ se atribuye a la letra hebrea פ porque ese trabajo, en sus diversas formas, es en última instancia el trabajo de Destrucción.[56]

---

55   "Ojo" es el significado de la letra hebrea ע que se asigna a Atu XV, El Diablo. Es el Ojo de Ajenjo, la Estrella "caída".

56   El trabajo del Colegio Interno (Preservación – "Silencio") se atribuye a la Letra י, mientras que el trabajo del Colegio Supremo (Construcción – "Silencio en el Habla") se atribuye a ג. El total de פ (80) + י (10) + ג (3) = 93. Ver *Liber CD* (*Equinox*, IV:1, p. 357).

La Carta Atu XVI - La Torre—Tarot de Thoth

Las formas originales de Atu XVI, como en las barajas france-
sas que se llamaban alternativamente "Le Maison Dieu" (La Casa
de Dios) o "Le Feu Du Ciel" (El Fuego del Cielo), se basaban en
el mito bíblico de la Torre caída de Babel, destruida por Dios para
frenar la ambición descontrolada del hombre.[57]

En estas barajas, el énfasis se pone en el rayo que destruye la
Torre. Dios fue ofendido porque los hombres, que eran de una sola
lengua (es decir, una sola mente), se atrevieron a construir una
Torre que llegaba hasta el Cielo y desafiaba el reino de Dios mismo.
La Torre fue así derribada, y los hombres fueron esparcidos por los
rincones de la tierra, y su lenguaje confundido. A partir de enton-
ces, el lugar se llamó "Babel", una palabra que significa "una con-
fusión de sonidos", como en la palabra moderna inglesa "babble".
Sin embargo, el origen de la palabra hebrea "Babel" es el acadio
Bāb-ilu, que significa "Puerta de Dios."[58]

Este mito es particularmente representativo de una doctrina del
Teísmo, que delinea claramente el orden del hombre abajo y Dios
arriba. Esta imaginería está profundamente arraigada en la psique
de aquellos atrapados en el punto de vista del Antiguo Eón. Algunas personas seguirán sugiriendo en broma que uno puede ser
"golpeado por un rayo" por expresar opiniones "impías" o por
usar un lenguaje que se considera sacrílego. Aunque normalmente
se oye este tipo de cosas de las ovejas semianalfabetas del rebaño
de Dios el Padre, y si bien puede ser una caricatura de las doctrinas
Patriarcales, es una buena representación de esa perspectiva inver-
tida. En *La visión y la voz*, el simbolismo de la Torre destruida
se incorpora para mostrar la destrucción del Antiguo Eón, con su
teología al revés, y cómo debe ser reemplazada. La voz de Jehovah
hace la siguiente declaración:

Ay de mí, que soy arrojado de mi puesto por el poder del nuevo
Eón. Pues los diez palacios están rotos, y los diez reyes son lleva-

---

57   Génesis 11,1–9.

58   Babel también está vinculado a "Babilonia."

dos lejos a la esclavitud, y ellos son puestos a luchar como los gladiadores en el circo del que ha colocado su mano sobre once. Pues la antigua torre es hecha pedazos por el Señor de la Flama y el Rayo. Y los que andan sobre sus manos construirán el lugar santo . Benditos sean aquellos que han dirigido el Ojo de Hoor al cénit, pues ellos estarán llenos del vigor de la cabra.[59]

En una nota al pie de este pasaje,[60] Crowley enfatiza la iconografía de las formas más antiguas del Atu XVI, que ilustra una figura arrojada de la Torre cuya caída precipitada toma la forma de la letra hebrea ע, que se atribuye a ♈ la cabra. Tenga en cuenta que el texto anterior establece que "los que caminan sobre sus manos" son los que construirán el lugar santo, destrozado por el Ojo que Todo lo ve. Los que caminan sobre sus manos son aquellos que han invertido su perspectiva espiritual, dándose cuenta de que el Khabs está en el Khu, no al revés.

Las estructuras corruptas que hemos erigido, ya sea por herencia de nuestros Padres o por nuestros propios trabajos falaces, deben ser rechazadas y demolidas. En el mismo sentido en que la carta representa la destrucción del Antiguo Eón por el fuego de Horus, también representa la destrucción del "material existente", la "escoria" del aspirante a la Iniciación. Crowley escribe: "Para obtener perfección, toda cosa existente debe ser aniquilada. La destrucción de la guarnición puede por tanto tomarse como que significa su emancipación de la prisión de la vida organizada, que los estaba confinando ."[61] Crowley le puso el subtítulo "Guerra" a la carta. Nos recuerda "La Batalla de las Hormigas" en *El libro de las mentiras*:

Eso no es lo que es.
La única Palabra es Silencio.
El único Significado de esa Palabra no es.

———————————

59 *Liber CDXVIII*, 16.º Éter.

60 *The Equinox*, IV:2, *The Vision & The Voice with Commentary and other papers*, p. 126.

61 Aleister Crowley, *El libro de Thoth*, p. 108.

Pensamientos son falsos.

Paternidad es unidad disfrazada de dualidad.

Paz implica guerra.

Poder implica guerra.

Armonía implica guerra.

Victoria implica guerra.

Gloria implica guerra.

Fundación implica guerra.

¡Ay! por el Reino en el que todos estos están en guerra.[62]

Así comienza la larga lucha en la que estamos en guerra con nuestra Verdadera Voluntad. Dentro de la esfera del Candidato, el antiguo templo debe ser demolido para que el nuevo ocupe su lugar. Para reconstruirlo de nuevo, los buscadores deben realizar una *animadversión* hacia el Nuevo Eón.[63] Deben comenzar a "andar sobre sus manos."

Este proceso inicial de destrucción también está representado simbólicamente en lo que llamamos "el Habla en el Silencio". Desde el punto de vista de las Supernas, es decir, el del Santo Ángel Guardián, el Discurso por el que se rompe el Silencio es la voz del candidato, que es el del clamor rudo y sin entrenamiento, la voz de Babel. Para el adepto, el Habla en el Silencio es la expresión del Ángel, que es la *Voz del Silencio mismo*.

---

62   Aleister Crowley, *El libro de las mentiras*, capítulo 5.

63   Del latín *animadvertere*, "dirigir hacía." [Ed. Tenga en cuenta que la palabra correspondiente en español, "animadversión", no tiene este mismo significado].

Últimas Palabras

El trabajo principal que deben realizar los estudiantes es la transformación de la materia bruta mediante una prueba de fuego, preparando el material para el siguiente paso, el Trabajo del Colegio Interno, que está coronado por el Conocimiento y Conversación del Santo Ángel Guardián. Este trabajo inicial, si se realiza satisfactoriamente, suele ser difícil y a menudo doloroso. Por lo tanto, se compara con la destrucción por terremoto, torbellino y fuego.

Por consiguiente, el Trabajo del Colegio Externo es principalmente de carácter preparatorio. Como dije antes, el Templo debe estar debidamente preparado si Dios va a habitar en él. Al aquietar el cuerpo, la mente y las emociones - y al someterse a una prueba de dedicación y servicio a los demás - el candidato puede calmar el clamor que rodea al viajero en un camino sin dirección y, por fin, encontrar el hilo dorado que conduce inevitablemente al Sanctasanctórum. Este es el Sendero del Viaje Interior, donde guiado por la mano inquebrantable de la Verdad, uno puede entrar en el Silencio y escuchar la Voz del Bienamado, cuyo Habla es Silencio. Para aquellos de ustedes que lean estas palabras y emprendan ese viaje, les deseo Buena Suerte.

Pedid, y se os dará; buscad, y hallaréis; llamad, y se os abrirá.

Y con esto, el Habla se acaba con nosotros un rato.

Y he aquí que el Señor pasaba. Un grande y poderoso viento destrozaba las montañas y rompía las peñas delante del Señor, pero el Señor no estaba en el viento. Después del viento hubo un terremoto, pero el Señor no estaba en el terremoto. Después del terremoto hubo un fuego, pero el Señor no estaba en el fuego.

Después del fuego hubo un sonido apacible y delicado.[64]

---

64 I Reyes, 19: 11–12 (RVA-2015).

GLOSARIO

A∴A∴ La Orden de la Estrella de Plata. Ver *Una estrella a la vista*.

Abiegnus La montaña simbólica de Dios en el centro del Universo, la Sagrada "Montaña de la Iniciación" de los Hermanos de la Rosa Cruz, la "Montaña Mística de las Cavernas".

Abismo La gran brecha que separa las Siete Sephiroth Inferiores de las Tres Sephiroth Supernas. Es la demarcación entre lo Real (las facultades de la Razón y las Emociones) y lo Ideal (lo Divino).

Abominación de Desolación Una profecía bíblica en el libro de Daniel, que predice la profanación del Templo judío por uno que haría cesar el sacrificio y la oblación. Jesús se refirió a esta profecía en su discurso del Monte de los Olivos como una señal del fin del mundo. Ahora se interpreta que significa el final de la era del Dios Moribundo y la desolación de sus Templos.

Adeptus En el Sistema de la A∴A∴, alguien que ha alcanzado un Grado dentro de la Orden Interna R.R. et A.C.

Adeptus Major Un Grado de la Orden Interna de la A∴A∴ que corresponde a la Sephira Geburah. Designado como 6°=5□.

Adeptus Minor (afuera) Un Grado de la Orden Interna de la A∴A∴ que corresponde a la Sephira Tiphereth. Designado como 5°=6□. El Adeptus Minor (afuera) significa alguien que ha emprendido la Tarea del Grado pero que aún no ha alcanzado el Conocimiento y la Conversación del Santo Ángel Guardián y, por lo tanto, técnicamente todavía está "fuera" (afuera) de la Orden Interna.

Adeptus Minor (adentro) Un Grado de la Orden Interna de la A∴A∴ que corresponde a la Sephira Tiphereth. Designado como 5°=6□. El Adeptus Minor (adentro) significa alguien que ha alcanzado el Conocimiento y la Conversación del Santo Ángel Guardián.

Adonai אדני, "Señor." En los Libros Sagrados de Thelema, Adonai significa el Santo Ángel Guardián.

Ágape ἀγάπη, "Amor." Ágape tiene el valor numérico de 93, que también es el de Θελημα, "Voluntad." Amor es la ley, amor bajo voluntad.

Agnus Dei "Cordero de Dios" (latín). Un nombre para Jesucristo, comúnmente representado como un cordero que lleva una bandera cristiana. Ver capítulo 8.

Aima Elohim אימא אלהים, un nombre de la Gran Madre Binah. El nombre indica el aspecto fértil y femenino de Dios (Elohim) cuyo aspecto masculino (Chokmah) se llama אב "Padre."

Ain אין, "Nada." El más lejano de los Tres Velos de lo Negativo más allá de la emanación del Árbol de la Vida.

Ain Soph אין סוף, "Sin Límite." El segundo de los Tres Velos de lo Negativo más allá de la emanación del Árbol de la Vida.

Ain Soph Aur אין סוף אור, "Luz Ilimitada." El más cercano de los Tres Velos de lo Negativo más allá de la emanación del Árbol de la Vida.

Aires Ver Éteres.

Aiwass Inteligencia preter-humana que dictó el *Libro de la Ley* a Aleister Crowley en El Cairo, Egipto, el 8, 9 y 10 de abril de 1904 e.v. En griego, el nombre ΑιϜασς tiene valor numérico de 418, que es igualmente el de אבראהאדאברא, "Abrahadabra," la Palabra del Eón, y הרואהא, "Heru-ra-ha," Señor del Eón. En hebreo, Aiwass = עיוז = 93, que es el valor de Θελημα, la palabra de la Ley.

Albedo "Blanqueamiento" (latín) La segunda etapa del proceso alquímico.

Aleph א, 1.ª letra del Alfabeto Hebreo. Aleph significa "Buey." Valor numérico = 1.

Alquimia El Arte y la Ciencia de transmutar material bajo en oro, descubrimiento de la panacea y el Elixir de la Vida. La palabra se deriva en última instancia de la palabra egipcia Khem, "Egipto" de donde se cree que se originó. (Ver Khem, más abajo).

Amaranto Una flor simbólica que nunca se desvanece, lo que significa la eternidad.

Amente El Oeste. Utilizado como metáfora de la muerte y el inframundo. Egipcio 𓊖 *imnt*, "el Oeste." Copto ⲀⲘⲚⲦⲈ. Deletreado "Amennti" en *LXV*, V:44

Anima Mundi "Alma del Mundo" (latín). El alma o esencia vivificante que impregna y anima la naturaleza. Una designación de Malkuth.

Ankh-af-na-khonsu Un sacerdote tebano (circa 725 a.e.c.) cuya Estela funeraria ocupó un lugar destacado en la revelación del *Libro de la Ley*. Se considera que Crowley fue su reencarnación. Cf. *Liber CCXX*, I:14. Egipcio 𓋹𓏺𓈖𓆑𓈖𓐍𓋴𓅱 *ꜣnḫ.f.n.ḫnsw*, literalmente, "Él vive para Khonsu." Conocido por los egiptólogos modernos como Ankhefenkhons I.

Apep La gran serpiente, enemiga de Ra, el dios Sol. En los Libros Sagrados, Apep significa una forma de destrucción, requisito previo para el cambio. Cf. *LXV*, IV:24. Egipcio 𓂝𓏤𓆙 *ꜥpp*.

Apofis Ἀποφις, forma griega de Apep, desde ⲁϥⲱϥ, la forma copta del egipcio 𓂝𓏤𓆙 *ꜥpp*, "Apep."

Árbol de la Vida Diagrama simbólico de las Diez Sephiroth unidas por veintidós senderos, que representan la emanación sucesiva del Universo de la Nada a la Existencia y el potencial camino de retorno.

Arquetipo Término utilizado por la Psicología Analítica para un componente primordial del Inconsciente Colectivo que ha sido alterado al volverse consciente, tomando la forma de la conciencia individual en la que aparece. Los motivos Mitológicos y Religiosos son todos ejemplos de arquetipos.

Asana "Postura"(Sánscrito, literalmente, "sentado"). Una práctica de Yoga que utiliza varias posturas para aquietar el cuerpo. Ver *Libro IV*, Parte I, capítulo I.

Asar Transliteración del nombre del dios egipcio Osiris usado en los Libros Sagrados. Cf. *CCXX*, I:49 Asar significa cualquier ser humano. Egipcio 𓁹𓊨 *wsir*, "Osiris."

Asar-un-Nefer Un nombre de Osiris, interpretado como "Mí Mismo hecho Perfecto." Egipcio 𓁹𓏏𓈖𓄤𓊨 *Wsir-wnn-nfr*, "Osiris el bello." En griego como Ὀσόροννωφρις.

Asi La diosa Isis, esposa de Osiris, madre de Horus. Cf. *LXV*, IV:25. Egipcio 𓊨𓏏 *ꜣst*.

Atu Una transliteración de la palabra egipcia 𓉐𓏥 *ꜥtw* "casas." Un nombre aplicado a los 22 Triunfos del Tarot, los *Atu Tahuti*, o "Casas de Thoth"

Audere "Atreverse" (latín), uno de los Poderes de la Esfinge, atribuido al Agua Elemental, y Escorpio, el signo Querúbico de Agua. Cf. Poderes del Esfinge.

Augoeides αὐγοειδής, "de la naturaleza de la luz" o literalmente, "imagen del amanecer." Un término para el Santo Ángel Guardián.

Ayin ע, 16.ª letra del Alfabeto Hebreo. Ayin significa "Ojo." Valor numérico = 70.

Azufre 🜍, Uno de los Tres Principios de la Alquimia, que representa la energía creativa, ardiente y rápida. Corresponde a **Rajas**. Cf. **Sal** y **Mercurio**.

Ba Transliteración inglesa del egipcio 𓅓, *b3* "alma." Cf. Copto ⲂⲀⲒ.

Babalon Un nombre de Binah en su calidad de Novia de la Bestia, Redentora del Mundo. El nombre Babalon escrito en hebreo, אלען באב = 156 (12 x 13). Cf. Ciudad de las Pirámides y Sion. Esta compleja doctrina se debe estudiar a fondo en *Liber CDXVIII*.

Bestia Un Oficiante de la A∴A∴, cuyo número es el de un hombre, 666. La Bestia es un Magus de la Tercera Orden. El motto de Crowley como Magus era TO MEΓA ΘHPION, "la Gran Bestia," que suma 666. En hebreo, תריון "Bestia" también = 666. Cf. Mujer Escarlata.

Bebé del Abismo Un Título otorgado a un aspirante en transición entre la RR et AC y la S.S. El objetivo del aspirante es cruzar con éxito el Abismo y volver a entrar en el Útero de la Gran Madre en Binah, renaciendo como Maestro del Templo.

Beth ב, 2.ª letra del Alfabeto Hebreo. Beth significa "casa." Valor numérico = 2.

Binah בינה, "Comprensión." 3.ª Sephira en el Árbol de la Vida.

Cáscaras Ver **Qliphoth**.

Centroversión Volverse al Centro. Una Práctica que combina los métodos de Introversión y Extraversión en una aplicación equilibrada.

Chesed חסד, "Merced." 4.ª Sephira en el Árbol de la Vida.

Cheth ח, 8.ª letra del Alfabeto Hebreo. Cheth significa "valla" y tiene un valor numérico de 8. Deletreado por completo, חית tiene un valor de 418.

Chiah חיה, "Vivir (en el sentido de 'respirar')" (de la raíz חוה "vida"). Un aspecto del alma humana. La Voluntad.

Chokmah חכמה, "Sabiduría." 2.ª Sephira en el Árbol de la Vida.

Christian Rosenkreutz Mítico fundador de los Hermanos de la Rosa Cruz, comúnmente conocidos como "Rosacruces". Cf. C.R.C.

Ciudad de las Pirámides Un nombre místico para la Sephira Binah, descrita como la Ciudad de la Noche donde están sepultados los Maestros del Templo. El nombre se deriva del sistema Enochiano en el que las cuatro tablas, llamadas las Cuatro Atalayas, están compuestas cada una de 156 cuadrados, cada uno de los cuales es una Pirámide tridimensional. 156 es el número de Babalon.

Colegio Externo Otro nombre para la Orden Externa de la A∴A∴, la G.D.

Colegio Interno Otro nombre para la Segunda Orden de la A∴A∴, la R.R. et A.C.

Coniunctio "Unión" (latín).

Copa Una de las cinco principales Armas Mágicas. La Copa se atribuye al elemento Agua, y la ה inicial de יהוה. La tarea de construir la Copa se asigna al Practicus de la A∴A∴.

Corazón de Sangre Un símbolo de la sangre vital del aspirante que se santifica, en última instancia, para el sacrificio en la Copa de Babalon. Representado por el Triángulo Rojo descendente sobre la Túnica de un Neófito de la A∴A∴. Cf. *Liber LXV*, III: 28, *Liber VII*, V:42 y *Liber Vesta* vel פרכת sub figura DCC, Túnica del Neófito.

C.R.C. Iniciales del mítico fundador de los Hermanos de la Rosa Cruz. Algunos interpretan que significa "Christian Rosenkreutz". Conocido simplemente por los Iniciados de la R.C. como "Nuestro Padre y Hermano C.R.C."

Cruz del Sufrimiento Un símbolo de la Cruz utilizado en un Templo de Iniciación por la Orden Hermética de la Golden Dawn. Significaba la crucifixión de Jesucristo y la identificación del Candidato con él. La Cruz del Sufrimiento es un símbolo abrogado en este Eón.

Cruz Hermética Una representación simbólica del rayo, tomando la apariencia de una Cruz Fylfot o la Esvástica, formada por un cuadrado dividido en 25 cuadrados iguales más pequeños, de los cuales 17 son visibles. Los 17 cuadrados se atribuyen a los 12 signos del Zodíaco, el Sol y los 4 elementos. Ver capítulo 5.

Cruz de Themis Una Cruz negra que representa al Hegemón en un Ritual de Iniciación. La Cruz de Themis (Justicia) significa equilibrio dentro de la esfera del Candidato.

Cuatro Poderes de la Esfinge Las cuatro virtudes del Adepto, que son "Saber" (SCIRE), "Atreverse" (AUDERE), "Querer" (VELLE) y guardar "Silencio"(TACERE). La interacción armoniosa de estos cuatro produce un quinto Poder, que es IRE, "Ir." Ver capítulo 2.

Daath דעת, "Conocimiento." La "Sephira falsa" que reside en el Abismo, y en última instancia identificada con la confusión.

Daleth ד, la 4.ª letra del Alfabeto Hebreo. Daleth significa "puerta." Valor numérico = 4.

Dharana Una práctica de meditación que implica concentrarse en un solo punto. Ver *Libro IV*, Parte I, capítulo 5.

Dhyana Un estado de trance muy importante en el que las condiciones de tiempo, espacio y pensamiento son abolidas. Ver *Libro IV*, Parte I, capítulo 6.

Dios Moribundo Un motivo espiritual predominante en el Eón de Osiris, donde el dios-héroe es asesinado y resucita de la muerte. Un aspecto central del motivo del Dios Moribundo es la "glorificación a través del sufrimiento", un concepto antitético a las doctrinas de Thelema.

Dominus Liminis Un título otorgado a los Iniciados de la A∴A∴ que indica el punto de paso entre la Orden Externa (G.D.) y la Orden Interna (R.R. et A.C.)

Edén עדן, Un nombre simbólico para las Tres Sephiroth Supernas Kether, Binah y Chokmah.

Eón Vastos períodos de tiempo delimitados por un cambio verificable en la comprensión y expresión de la relación del hombre con lo Divino. Crowley consideró que los Eones abarcaban 2000 años, y basó esto en la precesión zodiacal. La evidencia empírica prueba que el Eón de Osiris excedió los 4000 años; se desconoce el período del Eón de Isis. El período de tiempo proyectado para el actual Eón de Horus no se indica en ningún lugar de los Libros Sagrados. Se desconoce.

Eón de Horus El período actual en el que los contenidos religiosos dominantes se expresan en términos del Simbolismo del Niño, regido por la Ley de Thelema. El Eón de Horus sucedió al Eón de Osiris en 1904 e.v.

Eón de Isis El período de la prehistoria en el que los contenidos religiosos dominantes se expresaron en términos de simbolismo Matriarcal.

Eón de Osiris El período de tiempo en el que los contenidos religiosos dominantes se expresaron en términos de simbolismo Patriarcal. El Eón de Osiris sucedió al Eón de Isis hace más de 4000 años y terminó en 1904 e.v.

Eón del Niño Un nombre para el Eón de Horus, llamado así porque Horus es el hijo de Osiris e Isis.

Equinoccio de los Dioses Un término que se originó con el Ritual del Equinoccio de la Orden Hermética de la Golden Dawn donde el Oficiante presidente de los seis meses anteriores (que representaba a Horus) tomaba el lugar del Hierofante que se retiraba (que representaba a Osiris). El término fue utilizado por Aiwass en *Liber CCXX*, I:49 para significar el punto de transición del Eón de Osiris al nuevo Eón de Horus donde este último tomó el asiento del Iniciador o Hierofante.

Espada Una de las cinco principales Armas Mágicas. La Espada se atribuye al elemento Aire, y ו de יהוה. La tarea de construir la Espada se asigna al Zelator de la A∴A∴.

Espada Flamígera La espada simbólica que sigue la secuencia numérica de las Sephiroth en el Árbol de la Vida desde Kether hasta Malkuth.

Estela de Revelación Una Estela funeraria de Ankh-f-n-Khonsu, un sacerdote tebano (circa 725 a.e.c) Ocupó un lugar destacado en la Revelación del *Libro de la Ley*. Ver *ΘΕΛΗΜΑ: The Holy Books of Thelema*, Apéndice A para el texto jeroglífico y las traducciones. Ver *Magick (Libro 4, Partes I–IV)* 2nd rev. ed., pp. 299–301 para una reproducción en color con la paráfrasis de las inscripciones por Crowley.

Éteres Los treinta Éteres o "Aires" son regiones trans-conscientes angelicales que se extienden en círculos cada vez más amplios más allá de las Atalayas del Universo. Se puede acceder a ellos mediante las llamadas o claves Enochianas. El plano de los Éteres penetra y rodea el universo donde se establecen las Sephiroth, incluyendo no solo el conocimiento de las Sephiroth y los Senderos, sino también de Thelema. *La visión y la voz (Liber CDXVIII)* es un relato de su exploración por Frater P. y su Escriba, Frater O.V.

Extraversión Volverse a lo externo. La Práctica de *Magick* en lugar de Misticismo. Cf. Introversión y Centroversión.

Fermentatio "Fermentación" (latín). Una operación alquímica que tiene como resultado la transformación de la Materia mediante la introducción de un agente fermentador.

Fuego Secreto ⚗, Un compuesto alquímico que transmuta la Prima Materia en Quintaesencia. Compuesto de *Sal Tartari*, la "Sal del Infierno," y *Sal Armoniacum*, la "Sal de la Armonía".

Geburah גבורה, "Fuerza," 5.ª Sephira en el Árbol de la Vida.

G.D. Abreviatura de "Golden Dawn," la Orden Externa de la A∴A∴

Gihón גיחון, uno de los cuatro ríos simbólicos del Edén que se ramificaban desde el río Naher. El río Gihón desembocaba en Chesed. Su atribución es el elemento Agua.

Gimel ג, 3.ª letra del Alfabeto Hebreo. Gimel significa "camello." Valor numérico = 3.

Golden Dawn La Orden Externa de la A∴A∴, compuesta de los Grados de Neófito, Zelator, Practicus y Philosophus.

Grado de Estudiante Un Grado puramente académico requerido por los aspirantes a la Orden Externa de la A∴A∴ Un Estudiante que haya cumplido con los requisitos puede ser admitido como Probacionista.

Gran Mar Un nombre para Binah, 3.ª Sephira en el Árbol de la Vida. Atribuida al ה inicial de יהוה, Binah es por tanto el Elemento Agua.

Gran Obra El Trabajo de Iniciación realizado al servicio de la humanidad.

Gunas Literalmente "hilo" (Sánscrito). Interpretado en el sentido de "tendencia". Hay tres Gunas que comprenden el hilo de las tendencias de fenómenos o comportamientos. Sattvas, Rajas y Tamas.

Had Una variación de Hadit (ver abajo). Had es el núcleo de cualquier Estrella, una manifestación objetiva de Nuit. Cf. *Liber CCXX*, I:1.

Hadit El núcleo secreto de la Estrella de uno mismo, una manifestación de Nu vista subjetivamente. Cf. *Liber CCXX*. Representado como El globo alado, egipcio ⲃⲏⲇ *Bḥdt(y)*, "El Behedite" Transliterado como *Hud-t* en la traducción de Bulaq de la Estela de Revelación.

Harpócrates ἁρποκράτης. Ortografía griega del dios egipcio 𓏏𓏏𓏏 *Ḥr-p3-ẖrd*. El dios del Silencio. Gemelo de Horus. Cf. Hoor-pa-kraat.

Heh ה, 5.ª letra del Alfabeto Hebreo. Heh significa "ventana." Valor numérico = 5.

Heru-ra-ha El Señor del Nuevo Eón. Si bien está compuesta como una palabra egipcia, no se conocen ejemplos históricos que se equiparen a tal ortografía. Aparece por primera vez en *Liber CCXX*, III:35. Deletreada Qabalísticamente, usando letras hebreas, הרוראהא, suma 418.

Hexagrama de la Naturaleza Un hexagrama formado en el Árbol de la Vida que representa la estructura del hombre en su estado natural. También llamado el "hexagrama planetario". Si se dibuja en color, el Triángulo ascendente formado de ese modo es Rojo mientras que el Triángulo descendente es Azul. Ver capítulo 1, ilustración 2. Ver también *Liber Vesta* vel פרכת sub figura DCC, La Túnica del Probacionista.

Hexagrama de Thelema Un Hexagrama que representa la estructura del hombre en armonía con la Ley de Thelema. El Triángulo ascendente es Azul, mientras que el Triángulo descendente es Rojo. Es la imagen aversa del Hexagrama de la Naturaleza.

Hidekel הדקל, uno de los cuatro ríos simbólicos del Edén que se ramificaban desde el río Naher. El río Hidekel desembocaba en Tiphereth. Su atribución es el elemento Aire.

Hierofante El Oficiante Supremo en un Templo de Iniciación. De ιεροφάντης, "Iniciador." También el nombre del Triunfo V del Tarot.

Hieros gamos ιερός γάμος, "Matrimonio Sagrado" Término griego usado para significar la unión entre el aspirante y el Santo Ángel Guardián. También se usa para significar la ceremonia conocida como la Misa del Espíritu Santo.

Hod הוד, "Esplendor." 8.ª Sephira en el Árbol de la Vida.

Hoor Transliteración inglesa del egipcio 𓉔 *Ḥr*, "Horus" usada en los Libros Sagrados. (ej. *Liber CCXX*, I:49) Cf. Copto ϩⲱⲣ.

Hoor-pa-kraat Transliteración inglesa del egipcio 𓉔𓅱𓀔 *Ḥr-p3-ẖrd*, "Harpócrates" en *Liber CCXX*, III:35. Ver Harpócrates.

Horus Ὧρος, la forma griega del dios egipcio 𓉔 *Ḥr*. Ver Hoor. Cf. *Liber CDXVIII*, Éter 16.

IAO ΙΑΩ, Una forma griega del nombre Yahweh. También interpretado como las iniciales de Isis, Apofis y Osiris, que significan Vida/Muerte/Resurrección.

Imagen Fatal de la Naturaleza La imagen de la *Persona* Malvada reflejada en el Nephesh de un aspirante. Fascinación por el falso encanto del mundo profano.

Imago Dei "Imagen de Dios" (latín.)

Inconsciente Colectivo Un término utilizado por la Psicología Analítica para los estratos de la psique humana compartidos por toda la humanidad. Llamado "colectivo" porque no es personal, sino transpersonal y Universal. Los contenidos del Inconsciente Colectivo son los arquetipos.

I.N.R.I. Iniciales de la inscripción en latín colocada sobre la cabeza de Jesús en su crucifixión, *Iesus Nazarenus Rex Iudeorum*, "Jesús de Nazaret, Rey de los judíos." Las letras también se interpretan para significar Yod (Virgo, Isis, Poderosa Madre), Nun (Escorpio, Apofis, Destructor), Resh (Sol, Osiris, Asesinado y Alzado), por lo tanto, parte de la fórmula del Dios Moribundo.

Introversión Volverse a lo interno. La Práctica de Misticismo en lugar de *Magick*. Cf. Extraversión y Centroversión.

Ipsissimus El Grado Supremo de la Tercera Orden de la A∴A∴, correspondiente a la Sephira Kether. Designado como 10°=1□.

Ire "Ir" (latín), uno de los Poderes de la Esfinge, atribuido al Espíritu, la Corona del Pentagrama. Cf. Poderes de la Esfinge.

Isa Transliteración inglesa del copto $\overline{\text{IC}}$, "Jesús" Cf. *Liber CCXX*, I:49.

Isis Ἰσις, la forma griega de la diosa egipcia 𓊨𓏏 *3st*, esposa de Osiris, Madre de Horus. Cf. Asi arriba, y compare Nephthys.

Jefes Secretos Los Adeptos Ocultos que guían y dirigen las tres Órdenes de la A∴A∴, y que son responsables de la revelación de la Ley de Thelema.

Jehovah יהוי, i.e. "Yahweh," una transliteración inglesa para el Dios del Antiguo Testamento. Cf. Tetragrammaton.

Ka Egipcio 𓂓 *k3*, "Alma, espíritu, esencia." La palabra aparece en la Paráfrasis de la Estela de Revelación, y en *Liber CCXX*, III:37. Curiosamente, la palabra no está en la propia Estela. Interpretada aquí como El Santo Ángel Guardián.

Kaph כ, 11.ª letra del Alfabeto Hebreo. Kaph significa "palma (de la mano)." Valor numérico = 20.

Kether כתר, "Corona." La 1.ª Sephira en el Árbol de la Vida.

Khabs Egipcio 𓆼𓇳 ḫ3-b3=s, "Estrella." Una estrella individual, es decir, una persona individual. El Khabs es la manifestación espiritual de una persona de las infinitas posibilidades de Nu. Es la "Casa" de Hadit.

Khem Egipcio 𓈉 Kmt, "la Tierra Negra," a saber, "Egipto."

Khephra Egipcio 𓆣 ḫprr, el dios con cabeza de escarabajo. En los Libros Sagrados, Khephra significa el sol a medianoche. Cf. *Liber CCXX*, III:38.

Khu Egipcio 𓐎 3ḫ, copto ⲓⲱ. La vestimenta mágica del Iniciado; la Forma manifestada por el Khabs desde la potencialidad de Nu.

Lamed ל, 12.ª letra del Alfabeto Hebreo. Lamed significa "puya de buey." Valor numérico = 30.

Lámpara La quinta de las cinco principales Armas Mágicas. La Lámpara corresponde al Espíritu, la Corona de los cuatro elementos, y por tanto se refiere a Tiphereth y al Grado de Adeptus Minor. Ver *Liber A vel Armorum y Libro IV*, Parte II, capítulo X.

Lapis "Piedra" (latín).

Lógos λόγος, "palabra." Se usa para designar una expresión divina y uno que la encarna y personifica. Crowley es considerado el Lógos del Eón cuya palabra es Thelema.

L.V.X. Fórmula simbólica, derivada de las iniciales del latín LVX "Luz." Las letras significan "Luz de la Cruz." L.V.X. era la fórmula central del Eón de Osiris. Cf. N.O.X.

Maat Transliteración del egipcio 𓐙 M3ˁt, la diosa de la Verdad.

Macrocosmo El "Mundo Grande" (latín) Se usa simbólicamente para significar lo Divino en lugar de lo Humano (el Microcosmo).

Macroprosopus "Vasto Rostro"(latín), para el hebreo אריך אנפין, un nombre para Kether.

Magick El arte y la ciencia de hacer que el cambio ocurra de conformidad con la Voluntad.

Magister En el Sistema de la A∴A∴, uno que ha logrado un Grado en la Tercera Orden.

Magister Templi "Maestro del Templo."(latín) Un Grado exaltado de la Tercera Orden de la A∴A∴ correspondiente a la Sephira Binah. Designado como 8°=3□.

Magus Un Grado exaltado de la Tercera Orden de la A∴A∴ correspondiente a la Sephira Chokmah. Designado como 9°=2□. Considerado el grado más alto que se puede lograr mientras se está encarnado.

Maim מ, 13.ª letra del Alfabeto Hebreo. Maim significa "Agua." Valor numérico = 40.

Mal del Comienzo La aparición inicial de la "Existencia" desde la "Inexistencia". Llamado el "Mal del Comienzo" porque la formación del 1 (Kether) interrumpió la Perfección del 0 (Ain).

Malkah מלכה, "Reina." Un nombre para Malkuth. Malkah significa la Reina Inferior (ה final de יהוה) y la Novia de Microprosopus (ו de יהוה).

Malkuth מלכות, "Reino." La 10.ª Sephira en el Árbol de la Vida.

Mantra "Oración" o "Himno" (Sánscrito). Sonido, palabra o frase que se utiliza para desarrollar un enfoque singular del pensamiento. Ver *Libro IV*, Parte I, capítulo II.

Mercurio (Alquímico) ☿, Uno de los Tres Principios de la Alquimia, que representa rapidez, claridad y fluidez. Corresponde a Sattvas. Cf. Sal y Azufre.

Mesías משיח "ungido" משח "consagrar" i.e. "ungir" (con aceite).

Microcosmo El "Mundo Pequeño" (latín). Se usa simbólicamente para indicar lo Humano en lugar de lo Divino (el Macrocosmo).

Microprosopus "Pequeño Rostro"(latín) por el hebreo זעיר אנפין, un nombre para ו de יהוה.

Minutum Mundum "Pequeño mundo" (latín.) Otro nombre para el Microcosmo, aplicado a menudo al diagrama del Árbol de la Vida.

Montaña de los Adeptos Ver Abiegnus.

Mortificatio "Moribundo" (latín). Término utilizado en el proceso Alquímico en el que la condición existente perece.

Mujer Escarlata Un nombre técnico para cualquier Maestro del Templo que, bajo la Noche de Pan en la Ciudad de las Pirámides, haya sacrificado toda gota de su Sangre en la Copa de Babalon. El término también fue utilizado por Crowley como título para un Oficiante de la Tercera Orden, consorte de La Bestia.

Naher נהר, el río simbólico que fluía desde el Edén Superno hasta Daath, donde se dividía en Cuatro Cabezas, los ríos Pisón, Gihón, Hidekel y Phrath. Naher significa las "aguas (del río de la vida) que nunca se agotan".

Neith Νηιθ, forma griega para el nombre egipcio ⚊⚊ *nt*, diosa de Sais.

Neófito Grado inicial de la Orden Externa de la A∴A∴ correspondiente a la Sephira Malkuth. Designado como 1°=10□.

Nephesh נפש, "Alma" (literalmente, "Aliento"). Aspecto del Alma humana. Los instintos, las emociones. A veces llamado "el Alma Animal."

Nephthys Νέφθης, forma griega del egipcio ⚊⚊ *Nbt-ḥwt*. Hermana de Isis, quien ayudó en el embalsamamiento de Osiris. Se considera que ella significa "Perfección" (a saber, lo Divino), balanceando a Isis que significa "Naturaleza" (a saber, lo Humano). Su nombre significa literalmente "Señora de la Casa."

Neshamah נשמה, "Aliento, Espíritu." Aspecto del Alma humana. La Intuición.

Netzach נצח, "Victoria." La 7.ª Sephira en el Árbol de la Vida.

Nigredo "Ennegrecimiento" (latín). La Etapa Inicial del proceso Alquímico.

Noche Oscura del Alma Una Ordalía comúnmente experimentada por los aspirantes a la Gran Obra, marcada por un período de "sequedad" y una sensación de vacío e impotencia Espiritual.

N.O.X. Fórmula simbólica basada en las letras iniciales del latín NOX "Noche". Las letras N.O.X. significan la "Noche de Pan". N.O.X. es la fórmula central del Eón de Horus. Cf. L.V.X.

Nu Una variación de Nuit (ver abajo), Nu representa las infinitas posibilidades de manifestación para uno mismo. Aparece por primera vez en *Liber CCXX*, II:1. Esta palabra no está relacionada con el "Nu" que se encuentra en los libros antiguos sobre egiptología, que representa una forma obsoleta de transliterar ⚊⚊ *nnw*, i.e. Nun, "Las aguas primigenias." Cf. Copto ⲚⲞⲨⲚ.

Nuit La diosa del Espacio Infinito. Nuit representa las infinitas posibilidades de manifestación para la humanidad. Egipcio ⚊⚊ *nwt*.

Nuliversión Volverse hacia la nada, una condición de inexistencia. Un atributo del Señor del Eón. Cf. Omniversión y Universión.

Nun נ, 14.ª letra del Alfabeto Hebreo. Nun significa "Pez." Valor numérico = 50.

Ojo de Shiva El Ojo del Destructor Shiva, uno de los tres Dioses del Trimurti hindú, que aniquila el Universo al abrir su ojo. En el

XVI.º Triunfo del Tarot "La Torre," el Ojo de Shiva se identifica con el Ojo de Horus. Cf. *El libro de Thoth*, pp. 107–108.

Omniversión Volverse hacia todas las cosas, una condición de no exclusión. Un atributo del Señor del Eón. Cf. Universión y Nuliversión.

Opus "Obra" (latín). A menudo se usa para referirse a una operación de *Magick* o a la Gran Obra en sí. Cf. Gran Obra.

Orden Externa La Primera Orden de la A∴A∴, la G.D.

Orden Interna La Segunda Orden de la A∴A∴. Ver R.R. et A.C.

Orfeo Ὀρφεύς, legendario poeta y músico tracio, a quien se le atribuye la fundación de los Misterios Órficos.

Osiris Ὄσῑρις, forma griega del nombre del dios egipcio de la muerte y la resurrección. Cf. Asar.

Paroketh פרכת, "Velo." El Velo simbólico que protege la santidad de la Orden Interna de la A∴A∴ de la Orden Externa. El nombre proviene del Velo en el Sagrado Tabernáculo que separaba el lugar santo del Sanctasanctórum. Cf. Éxodo *26,31 ff.*

Pantáculo Una de las cinco principales Armas Mágicas. El Pantáculo se atribuye al elemento Tierra y a ה final de יהוה. La tarea de construir el Pantáculo se asigna al Neófito de A∴A∴.

Peh פ, 17.ª letra del Alfabeto Hebreo. Peh significa "Boca." Valor numérico = 80.

Pentagrammaton Un Nombre de cinco letras. Tradicionalmente, se ha tomado el Pentagrammaton para significar el nombre יהשוה. Cf. Yeheshuah. Sin embargo, cualquier nombre de cinco letras es técnicamente un Pentagrammaton, tal como אדהני. (ver capítulo 7)

Perdurabo "Perduraré hasta el fin." Motto de Aleister Crowley como aspirante a la Orden Hermética de la Golden Dawn.

Persona **Malvada** Los aspectos negativos de la psique humana. Corresponde al término jungiano "Sombra."

Philosophus Un Grado de la Orden Externa de la A∴A∴ correspondiente a la Sephira Netzach. Designado como 4°=7□.

Phrath פרת, uno de los cuatro ríos simbólicos del Edén que se ramificaban desde el río Naher. El río Phrath desembocaba en Malkuth. Su atribución es el elemento Tierra.

Pilar de la Merced Pilar simbólico en el Árbol de la Vida, que abarca las Sephiroth Chokmah, Chesed y Netzach.

Pilar de la Severidad Pilar simbólico en el Árbol de la Vida, que abarca las Sephiroth Binah, Geburah y Hod.

Pilar del Medio Pilar simbólico en el Árbol de la vida, que abarca las Sephiroth Kether, Tiphereth, Yesod y Malkuth. Representa el equilibrio del Pilar de la Severidad y el Pilar de la Merced.

Pisón פישון, uno de los cuatro ríos simbólicos del Edén que se ramificaban desde el río Naher. El río Pisón desembocaba en Geburah. Su atribución es el elemento Fuego.

Poderes de la Esfinge La cuatro Virtudes del Adepto. Son: *Querer, Atreverse, Saber y Guardar Silencio*. El Poder de *Querer* se atribuye al Fuego, *Atreverse* se atribuye al Agua, *Saber* se atribuye al Aire, y *Guardar Silencio* se atribuye a la Tierra. Mediante la aplicación armoniosa de éstos, el quinto Elemento del Espíritu se formula en el ser del Adepto, otorgando el quinto Poder de la Esfinge, que es *Ir*. Los nombres latinos de estos poderes son Velle (Querer), Audere (Atreverse), Scire (Saber), Tacere (Guardar Silencio) e Ire (Ir).

Practicus Un Grado de la Orden Externa de la A∴A∴ correspondiente a la Sephira Hod. Designado como 3°=8▫.

Pranayama "Controlar el prana (o aliento)" (Sánscrito). Una práctica de Yoga usando respiración mesurada para ayudar a aquietar las funciones del cuerpo. Ver *Libro IV*, Parte I, capítulo II.

Prima Materia "Primera Sustancia" (latín). Término Alquímico para el material inicial en el proceso de transformación.

Probacionista Un Grado preliminar que designa a un aspirante a la Orden Externa de la A∴A∴. El Probacionista se considera fuera de la Orden entre las Qliphoth. Designado como 0°=0▫.

Punto Liso נקדה פשוט. Un Nombre para Kether.

Putrefactio "Putrefacción" (latín). Un término utilizado en el proceso Alquímico en el que la condición existente se pudre.

Qabalah קבלה, "Recepción." Nombre aplicado al sistema judío de misticismo, cuya metodología fue posteriormente ampliamente adoptada por las escuelas esotéricas Occidentales. La Qabalah Exotérica es la metodología para expresar las doctrinas en lenguaje y diagramas simbólicos. La Qabalah Esotérica es la interpretación de estos símbolos en un sistema cohesivo.

Qliphah קליפה, Singular de Qliphoth.

Qliphoth קליפות, "cascarilla, corteza, cáscaras." El mundo desbalanceado. El mundo de los profanos. Aspectos impuros de la psique humana.

Qoph ק, 19.ª letra del Alfabeto Hebreo. Qoph significa la "parte posterior de la cabeza." Valor numérico = 100.

Quintaesencia Del latín *Quinta Essentia*, "Quinta Esencia." La quinta y coronadora esencia (después de los cuatro elementos Aire, Tierra, Fuego y Agua). Sinónimo de Espíritu.

Ra Transliteración del egipcio 𓂋𓂝 *rˁ*, dios del Sol.

Rajas "Actividad" (Sánscrito) Una de las tres Gunas, o tendencias. Rajas representa acción, excitabilidad y energía. Tiene afinidad con el elemento Fuego y Azufre Alquímico. 🜍. Cf **Tamas** y **Sattvas**.

Resh ר, 20.ª letra del Alfabeto Hebreo. Resh significa "Cabeza." Valor numérico = 200.

Rosa Cruz El lamen de la Rosa sobre la Cruz es el lamen tradicional del Adeptus Minor y el símbolo de la Orden Interna R.R. et A.C. En su forma más simple es una Rosa de 5 pétalos sobre una cruz del calvario dorada. La forma completa de la Rosa Cruz (anverso) se puede ver en la sobrecubierta de este libro y en el reverso de las cartas en la Baraja del Tarot de Thoth.

R.R. et A.C. Iniciales del latín *Roseae Rubeae et Aureae Crucis*, "Rosa Roja y Cruz Dorada." El Nombre de la Orden Interna (la Segunda Orden) de la A∴A∴.

Ruach רוח, "Espíritu, Aliento." Un aspecto del alma humana. La facultad intelectual.

Ruach Elohim רוח אלהים, "Espíritu de Dios (Elohim)." El Espíritu Santo.

Rubedo "Enrojecimiento" (latín). Tercera etapa del proceso Alquímico.

Sal 🜔, Uno de los Tres Principios de la Alquimia, que representa la pesadez, la fijación y el principio inactivo de la Naturaleza. Corresponde a **Tamas**. Cf. **Azufre** y **Mercurio**.

Sal Armoniacum ✳ La "Sal de la Armonía" (latín). Un agente Alquímico, que junto con Sal Tartari, constituye el agente fermentador en la operación de Fermentatio.

Sal Tartari 🜿 La "Sal del Tártaro" (latín). Un agente Alquímico, que junto con Sal Armoniacum, constituye el agente fermentador en la operación de Fermentatio.

Samadhi El estado de trance supremo en el que sujeto y objeto se disuelven en unión. Ver *Libro IV*, Parte I, capítulo 7.

Samekh ס, 15.ª letra del Alfabeto Hebreo. Samekh significa "Soporte." Valor numérico = 60.

Samsara "Deambular"(Sánscrito.) La Rueda de Samsara es la Rueda del Destino, que significa un movimiento ilusorio y sin fin, una característica de la encarnación.

Samyojana "grillete" (Pali). Un vínculo con el mundo sensible. El budismo enumera diez de esos grilletes. Cf. *Liber 777*, Col. CXIX.

Sanctasanctórum קדש הקדשים, Un término en las escrituras hebreas que originalmente se refería al Santuario Interior del Tabernáculo. El Sanctasanctórum estaba oculto por un Velo (Paroketh) al que solo podía entrar el Sumo Sacerdote una vez al año en Yom Kipur para ofrecer un sacrificio ante el Propiciatorio de la Divina Presencia. El término ha sido apropiado para representar a Tiphereth y al Santo Ángel Guardián. El término también se usa para significar el Santuario Secreto Interior al que entra el Sacerdote en la Misa del Espíritu Santo.

Santo Ángel Guardián El Santo Ángel Guardián es un término usado para indicar la Entidad transpersonal que sirve como el Verdadero Instructor Espiritual para un aspirante. A veces llamado "El Ser Divino Superior" o "El Genio Superior," ninguno de los cuales es correcto o satisfactorio.

Satán שטן, "adversario." El "diablo" mitológico percibido como enemigo de Dios.

Sattva "Lucidez" (Sánscrito) Una de la tres Gunas, o tendencias. Sattva representa claridad, fluidez y ecuanimidad. Tiene afinidad con el elemento Aire y Mercurio Alquímico ☿. Cf **Rajas** y **Tamas**.

Scire "Saber" (latín), uno de los Poderes de la Esfinge, atribuido al Elemento Aire, y Acuario, el signo Querúbico de Aire. Cf. **Poderes de la Esfinge**.

Segunda Orden Ver **R.R. et A.C.** o **Orden Interna**.

Señor del Eón Cf. Heru-ra-ha.

Sephira ספרה, "Número." Singular de Sephiroth.

Sephiroth ספרות, "Números." Nombre que se le da a las emanaciones numéricas del Árbol de la Vida, del 1 a 10. Plural de Sephira.

Separatio "Dividir" (latín). Una operación de Alquimia que separa una unidad en diferentes componentes.

Serpiente de Bronce Una serpiente de bronce entrelazada alrededor de una triple cruz. Basado en Números 21, 8–9, que es la historia de la serpiente Nehushtan que Moisés levantó en el desierto como modelo prototípico de redención. El símbolo se usaba en el ritual de Iniciación del Philosophus en la Orden Hermética de la G.D., donde los rayos de la triple cruz significaban el Pilar del Medio y los senderos recíprocos que unían a las Sephiroth.

Serpiente de la Sabiduría Serpiente simbólica que sigue el orden de los senderos del Árbol de la Vida desde Tau hasta Aleph, uniendo así a las Sephiroth de 10 a 1. La Serpiente significa el camino de Retorno de Malkuth a Kether.

Set Transliteración del egipcio 𓊃 *Stḥ*, El enemigo y asesino de Osiris. A veces dado como "Seth", como en el griego ΣΗΘ. Se desconoce el animal utilizado para representar a Set.

Shaddai שדי, "Todopoderoso." Un nombre de Dios.

Shin ש, 21.ª letra del Alfabeto Hebreo. Shin significa "Diente." Valor numérico = 300.

Sillar Bloque cuadrado de piedra de construcción. En la Masonería, el Sillar Perfecto significa la piedra en bruto llevada a la perfección y preparada para convertirla en la piedra angular del Templo.

Sillar Perfecto Cf. Sillar.

Sion ציון, La Santa Ciudad de Dios. Sion tiene el valor numérico de 156 que es el de באבאלעם "Babalon." Sion es otro nombre para Binah, la Ciudad de las Pirámides.

Solve et Coagula Frase Alquímica latina que significa "Análisis y Síntesis".

S.S. Iniciales de la Orden Suprema de la A∴A∴ Algunos consideran que las iniciales significan "Estrella de Plata" ("Silver Star", en inglés).

Summum Bonum "El Sumo Bien" (latín). Un nombre para la Quintaesencia. A veces se aplica a la Gran Obra en general.

Supernas Las tres primeras Sephiroth en el Árbol de la Vida: Kether, Chokmah y Binah.

Tacere "Guardar Silencio" (latín), uno de los Poderes de la Esfinge, atribuido al Elemento Tierra, y Tauro, el signo Querúbico de la Tierra. Cf. **Poderes de la Esfinge.**

Tahuti Transliteración del egipcio 𓂦𓏏 *Ḏḥwty*, "Thoth," dios de la Sabiduría, la escritura y la magia.

Tamas "Obscuridad" (Sánscrito) Una de las tres Gunas, o tendencias. Tamas representa inacción, lentitud y torpor. Tiene afinidad con el elemento Agua y Sal Alquímica ⊖. Cf **Rajas** y **Sattvas**

Tau ת, 22.ª letra del Alfabeto Hebreo. Tau significa "Cruz." Valor numérico = 400.

Tercera Orden La Orden Suprema de la A∴A∴, llamada la S.S.

Teth ט, 9.ª letra del Alfabeto Hebreo. Teth significa "Serpiente." Valor numérico = 9.

Tetragrammaton Un Nombre de cuatro letras. Más comúnmente, Tetragrammaton se refiere específicamente al nombre de Dios, יהוה. El Tetragrammaton se atribuye simbólicamente a la constitución del hombre y, por tanto, significa los aspectos elementales del hombre mismo.

Tetragrammaton Elohim יהוה אלהים, "El Señor Dios."

Thelema Θελημα, "Voluntad." La palabra de la Ley. Cf. *Liber CCXX*, I:39.

Thelemita Ver *Liber CCXX*, I:40: "Quien nos llame Thelemitas no hará mal, si él tan solo mira de cerca la palabra. Pues hay en ella Tres Grados, el Ermitaño, y el Amante, y el hombre de la Tierra. Haz lo que tú voliciones será el todo de la Ley."

Themis Θέμις, La diosa griega de la Justicia. Corresponde a Maat de Egipto.

Thoth Θωθ, la forma griega del nombre del dios egipcio Tahuti.

Tifón Τῦφῶν. En la Mitología Griega, un monstruo que se llamaba hijo de Typhoeus, padre de los vientos. Tifón fue identificado con el Set egipcio, el destructor. La palabra en inglés moderno "typhoon", en forma, fue influenciada por esta palabra.

Tiphereth תפארת, "Belleza." La 6.ª Sephira en el Árbol de la Vida. A veces llamada "Armonía."

Tzaddi צ, 18.ª letra del Alfabeto Hebreo. Tzaddi significa "Anzuelo." Valor numérico = 90.

Tzelem צלם, "imagen."

Universión Volverse a la Unicidad, una condición de Singularidad. Un atributo del Señor del Eón. Cf. **Omniversión** y **Nuliversión**.

Uroboros Οὐρόβορος. Un arquetipo representado como una serpiente que se traga su propia cola, lo que significa el Círculo Primordial, o Eternidad, sin principio ni fin.

V.V.V.V.V. Iniciales del Nombre de un adepto exaltado del rango de Maestro del Templo (por lo menos eso fue lo que Él le reveló a los Adeptos Exentos). Sus Declaraciones están consagradas en los Libros Sagrados. También las iniciales del motto latino de Aleister Crowley como Magister Templi, *Vi Veri Universum Vivus Vici*, "Por la fuerza de la Verdad he conquistado el Universo mientras vivo."

Vairagya "no-apego" (Sánscrito). La práctica de la "indiferencia," trabajando sin lujuria por el resultado.

Vau ו, 6.ª letra del Alfabeto Hebreo. Vau significa "Clavo." Valor numérico = 6.

Velle "Querer" (latín), uno de los Poderes de la Esfinge, atribuido al Elemento Fuego, y Leo el signo Querúbico de Fuego. Cf. **Poderes de la Esfinge**.

Vara Una de las cinco principales Armas Mágicas. La Vara se atribuye al elemento Fuego, y י de יהוה. La tarea de construir la Vara está asignada al Philosophus de la A∴A∴.

Yama "Control" (Sánscrito). El acto de evitar aquello que causa excitación mental. Ver *Libro IV*, Parte I, capítulo III.

Yechidah יחידה, "Solo Uno." El aspecto más elevado del Alma humana. La chispa de Deidad.

Yeheshuah יהשוה, "Jesús." Las cuatro letras del Tetragrammaton יהוה con ש (Espíritu) en medio de ellas.

Yesod יסוד, "Fundamento." La 9.ª Sephira en el Árbol de la Vida.

Yod י, 10.ª letra del Alfabeto Hebreo. Yod significa "Mano." Valor numérico = 10.

Yod Tetragrammaton יוד יהוה, "mano del Señor." Ver Tetragrammaton.

Zagreo Ζαγρεύς, hijo de Zeus y Perséfone, asesinado por los Titanes y resucitado como Dionisio Διόνυσος. Este mito del Dios Moribundo fue incorporado por los devotos de Orfeo.

Zayin ז, 7.ª letra del Alfabeto Hebreo. Zayin significa "Espada." Valor numérico = 7.

Zelator Un Grado de la Orden Externa de la A∴A∴ correspondiente a la Sephira Yesod. Designado como 2°=9□.

La Proclamación del Perfeccionado

¡Mi cabello es el cabello de Nun!

¡Mi cara es la cara de Ra!

¡Mis ojos son los ojos de Hathor!

¡Mis orejas son las orejas de Ophois!

¡Mis labios son los labios de Anubis!

¡Mis dientes son los dientes de Selqet!

¡Y mis dientes son los dientes de Asi!

¡Mis brazos son el Carnero, Señor de Mendes!

¡Mi pecho es el pecho de Neith!

¡Mi espalda es la espalda de Set!

¡Mi falo es el falo de Asar!

¡Mi vientre es el vientre de Sekhmet!

¡Mi ano es el Ojo de Hoor!

¡Mis piernas son las piernas de Nuit!

¡Mis pies son los pies de Ptah!

¡Mis dedos de manos y pies son serpientes Uraeus vivientes!

¡No hay ningún miembro del cuerpo de Asar que no sea miembro de Dios!

APÉNDICE 2
ALGUNAS ATRIBUCIONES ÚTILES

Orientación	Este	Oeste	Sur	Norte	Altura y Profundidad
Signo Zodiaco	♉	♏	♌	♒	♎
Regente	♀	♂	☉	♄	♀
Exaltación	☽	♀	♅	♆	♄
Querubín	Toro	Mujer-Serpiente	León	Águila	Dios y Hombre
Signo NOX	Vir	Mulier	Puer	Puella	Mater Triumphans
Pentagrammaton (Thelémico)	י	ה	ו	ה	ל
Función	Padre	Madre	Hijo	Hija	La Mujer Satisfecha
Nombre Atu	El Hierofante	Muerte	Lujuria	La Estrella	Ajuste
Número Atu	V	XIII	XI	XVII	VIII
Palabra de Poder	Therion	Babalon	Hadit	Nuit	Θελημα
LAShTAL	AL	LA	AL	LA	ShT
Imago Dei	Harmachis	Ahat-hoor	Mau	Khephra	Ra-Hoor-Khut Hoor-pa-kraat
Mysterium	Trono de Ra	el Ka	el Khu	el Khabs	Porta Secreta
Postura en Ritual					
Nombre y significado de la Postura	*Henu* Alabanza	*Ḥai* Regocijo	*A'ash* Convocación	*Dua* Adoración	*Sa Neter* Hombre Dios

Bibliografía de Obras Consultadas

I. Ediciones Publicadas por Aleister Crowley (incluyendo The Equinox)

777 and other Qabalistic Writings, ed. I. Regardie. New York: Weiser (1986)

AHA (being Liber CCXLII), ed. James Wasserman, Tempe, AZ: New Falcon Publications (1996)

The Book of Thoth: A Short Essay on the Tarot of the Egyptians. The Master Therion [pseud.] New York: Weiser (1974)

The Collected Works of Aleister Crowley. 3 vols. Des Plaines, IL. Yogi Publication Society. (undated)

Commentaries to the Holy Books and Other Papers. The Equinox, IV:1. York Beach, ME: Weiser (1996)

Confessions of Aleister Crowley. An Autohagiography. ed. John Symonds and Kenneth Grant. New York: Hill and Wang (1969)

The Equinox. Volume I. 10 Vols. New York: Weiser (1974)

The Equinox. Volume III. New York: Weiser (1973)

The Equinox of the Gods. London, O.T.O. (1936)

The Heart of the Master & Other Papers. Scottsdale, AZ: New Falcon Publications (1992)

Konx om Pax. Essays in Light. facs. ed., Chicago: Teitan Press (1990)

The Law is for All. ed. Louis Wilkinson and Hymenaeus Beta. Tempe, AZ: New Falcon Publications (1996)

Liber Aleph vel CXI. The Book of Wisdom or Folly, ed. Karl Germer and Marcelo Motta, *The Equinox*, III:6, Barstow, CA: Thelema Publishing Co., 1961. rev. 2nd edition, ed. Hymanaeus Beta. New York, 93 Publishing (1991)

Liber CCCXXXIII. The Book of Lies which is also falsely called Breaks. Frater Perdurabo [pseud.] New York: Weiser(1972)

Little Essays Toward Truth. London: O.T.O. (1938) Magick. Book 4, Parts I–IV. second rev. edition, ed. Hymenaeus Beta. York Beach, ME: Weiser (1994)

Magick in Theory and Practice. New York: Dover Publications, Inc. (1976)

Magick Without Tears, ed. Karl Germer. Hampton, NJ. Thelema Publishing Co. (1954)

The Revival of Magick and Other Essays. ed. Hymenaeus Beta and Richard Kaczynski. Tempe, AZ. (1998)

The Tao Te Ching. Liber CLVII. trans. Aleister Crowley, ed. Hymenaeus Beta. The Equinox, III:8. York Beach, ME: Weiser (1995)

ΘΕΛΗΜΑ: The Holy Books of Thelema, The Equinox, III:9. ed. Hymenaeus Alpha and Hymenaeus Beta, York Beach, ME: Weiser (1983)

The Vision & The Voice with Commentary and other papers. The Equinox, IV:2. York Beach, ME: Weiser, 1998.

The Winged Beetle, ed. Martin P. Starr, Chicago: Teitan Press (1992)

II. Obras Generales

Anonymous. Review of Fritz Saxl's *Vorträge der Bibliotek Warburg. Journal of Hellenic Studies,* 48:99–100. (1928)

The Ancient Egyptian Coffin Texts. trans. R. O. Faulkner. Warminster, UK : Aris & Phillips Ltd. (1973)

The Ancient Egyptian Pyramid Texts. trans R. O. Faulkner. Oxford: Clarendon Press (1969)

Atwood, Mary Anne. *A Suggestive Inquiry Into The Hermetic Mystery.* Belfast: William Tait. (1918)

Avinoam (Grossman), Reuben. *Compendious Hebrew-English Dictionary.* Tel-Aviv: The Dvir Publishing Co. [no date]

Bauer, Walter. *A Greek-English Lexicon of the New Testament and Other Early Christian Literature.,* trans. William F. Arndt and F. Wilbur Gingrich. 2nd ed. rev. and augmented. Chicago: Univ. of Chicago Press (1979)

Betz, Hans Dieter. *The Greek Magical Papyri in Translation including the Demotic Spells.* Chicago: University of Chicago Press (1986)

Blavatsky, H.P. *The Secret Doctrine.* 2 Vols. Wheaton, IL: Theosophical Publishing House (1979)

_____. *The Secret Doctrine. Volume 3: Occultism.* London: Theosophical Publishing Society (1897)

The Book of the Dead or Going Forth by Day. trans. Thomas George Allen. Chicago: University of Chicago Press (1974)

Booth, G. *The Historical Library of Diodorus The Sicilian.* 2 Vols. London: W. McDowall (1814)

Bouisson, Maurice. *Magic: its history and principal rites.* New York: Dutton (1960)

Breasted, James Henry. *A History of Egypt.* New York: Charles Scribner's Sons (1912)

Browne, Henry. *Triglot Dictionary of Scriptural Representative Words in Hebrew, Greek and English.* New York: James Pott and Co.(1901)

Budge, E. A. Wallis. *The Chapters of Coming Forth by Day or The Theban Rescension of the Book of the Dead. The Egyptian Hieroglyphic Text edited from numerous papyri.* 3 vols. New York: AMS Press Inc.(1976) Typeset Hieroglyphic texts only, no translations.

_____. *An Egyptian Hieroglyphic Dictionary.* 2 vols. New York: Dover Publications, Inc. (1978). Facsimile reprint of the edition published by John Murray, London. (1920).

_____. *From Fetish to God in Ancient Egypt.* New York: Dover Publications, Inc. (1988)

_____. *The Gods of the Egyptians; or, Studies in Egyptian Mythology.* 2 vols. New York: Dover Publications, Inc. (1969)

_____. *Osiris and the Egyptian Resurrection,* 2 vols. New York: Dover Publications, Inc. (1973)

_____. *A Vocabulary in Hieroglyphic to the Theban Rescension of the Book of the Dead.* London: Kegan Paul, Trench, Trübner & Co (1898)

Campbell, Joseph. *The Masks of God.* 3 vols. New York: Penguin Books (1979)

_____.*The Mythic Image.* Princeton, NJ: Princeton University Press (1974)

Cavendish, Richard. *The Tarot.* New York: Crescent Books (1986)

Černý, J. *Coptic Etymological Dictionary.* London: Cambridge University Press (1976)

Charles, R.H. *Apocrypha & Pseudepigrapha of the Old Testament.* in English. 2 vols. Oxford: Oxford University Press (1978)

Crum, W. E. A *Coptic Dictionary,* London: Oxford University Press (1979)

Doelger, Franz Josef. ΙΧΘΥΣ: *Das Fischsymbol in frühchristlicher Zeit.* Rome and Munster, 1910–27, 4 vols

Edinger, Edward. *Anatomy of the Psyche. Alchemical Symbolism in Psychotherapy.* La Salle, IL: Open Court Publishing Co.(1985)

_____. *Ego and Archetype. Individuation and the Religious Function of the Psyche.* New York: G. P. Putnam's Sons (1972)

The Egyptian Book of the Dead, the Book of Going Forth by Day, being the Papyrus of Ani. trans. R.O. Faulkner & Ogden Goelet, Jr. San Francisco: Chronicle Books (1994)

Eisler, Robert. *Orpheus the Fisher.* London: J.M. Watkins (1921)

Erman, Adolf. *Life in Ancient Egypt.* New York: Dover Publications Inc. (1971)

Fabricus, Johannes. *Alchemy.* London: Diamond Books (1994)

Farnell, Lewis Richard. *The cults of the Greek states*, 5 vols. Oxford: Clarendon (1896)

Faulkner, R.O. *A Concise Dictionary of Middle Egyptian*. Oxford: Griffith Institute (1962)

Frazer, James George. *The Golden Bough, A Study in Magic and Religion*. New York: The Macmillan Company. (1960)

Gardiner, Alan. Egyptian Grammar. *Being an Introduction to the Study of Hieroglyphs*. Oxford: Griffith Institute (1978)

_____. *Egypt of the Pharoahs, An Introduction*. Oxford. Oxford University Press (1980)

Gesenius' Hebrew and Chaldee Lexicon of the Old Testament Scriptures, trans. Samuel Prideaux Tregelles, Grand Rapids, MI: Baker Book House (1979)

Gilbert, R.A. *A.E. Waite: A bibliography*. Wellingborough, Northhamptonshire: Aquarian Press. (1983)

Goodwin, Charles Wycliffe. *Fragment of a Graeco-Egyptian Work upon Magic*. Cambridge: Deighton, Macmillan and Co. (1852)

Goodwin, William W.. *Plutarch's Miscellanies and Essays. Vol IV*. Boston: Little Brown and Company (1889)

Graves, Kersey. *The World's Sixteen Crucified Saviors or, Christianity Before Christ*. Boston: Colby and Rich (1876)

Grimal, Pierre. *The Dictionary of Classical Mythology*. Oxford: Blackwell (1986)

Guthrie, W.K.C. *Orpheus and Greek religion: A study of the Orphic Movement*. Methuen's handbooks of archeology. (1952)

Hall, Nor. *The Moon & The Virgin. Reflections on the Archetypal Feminine*. New York: Harper & Row (1980)

Harding, M. Esther. *Woman's Mysteries Ancient and Modern. A Psychological Interpretation of the Feminine Principle as Portrayed in Myth, Story, and Dreams*. New York: Harper & Row (1976)

Hegel, Georg Wilhelm Friedrich. *The Philosophy of Right*. trans. T. M. Knox, repr. in *Great Books of the Western World*, vol. 46. Chicago: Encyclopædia Britannica, Inc. (1988)

_____. *The Philosophy of History*. trans. J. Sibree. repr. in *Great Books of the Western World*, vol. 46. Chicago: Encyclopædia Britannica, Inc.(1988)

Hennecke, Edgar. *New Testament Apocrypha*. 2 vols. ed. Wilhelm Schneemelcher. English trans. R. McL. Wilson. Philadelphia: The Westminster Press (1963)

Herrad von Landsberg, abbess of Honenburg. *Hortus deliciarum*. Trans. A. Straus and G. Keller. Strasbourg: Impr. Stransbourgeoise, en commission chez Truebner. (1879–99)

The Holy Bible. Authorized Version. ed. C. I. Schofield. New York: Oxford University Press (1945)

Hone, William. *The Aprocryphal New Testament, being all the Gospels, Epistles, and other Pieces now extant, attributed in the first four Centuries to Jesus Christ, his Apostles, and their Companions, and not included in the New Testament by its Compilers.* London: Ludgate Hill (1820).

The I Ching. trans. James Legge. New York: Dover Publications, Inc. (1963).

The I Ching or Book of Changes. trans. Richard Wilhelm, translated from the German by Cary F. Baynes. Princeton, NJ: Princeton University Press (1975)

The Interlinear Bible Hebrew/English. 3 vols. trans. Jay P. Green, Sr. Grand Rapids, MI: Baker Book House (1976)

Jacobi, Jolande. *Complex / Archetype / Symbol in the Psychology of C.G. Jung.* trans. Ralph Manheim. Princeton, NJ: Princeton University Press (1974)

Jones, William. *Finger-Ring Lore: Historical, Legendary, Anecdotal.* London: Chatto & Windus. (1890)

Jung, Carl. *Aion.* trans. R.F.C. Hull, Princeton, NJ: Princeton University Press (1978)

_____. *Alchemical Studies.* trans. R.F.C. Hull, Princeton, NJ: Princeton University Press (1976)

_____. *Archetypes of the Collective Unconscious.* trans. R.F.C. Hull, Princeton, NJ: Princeton University Press (1980)

_____. *Mysterium Coniunctionis.* trans. R.F.C. Hull, Princeton, NJ: Princeton University Press (1976)

_____. *Psychology and Alchemy.* trans. R.F.C. Hull, Princeton, NJ: Princeton University Press (1977)

_____. *The Structure and Dynamics of the Psyche.* trans. R.F.C. Hull, Princeton, NJ: Princeton University Press (1978)

The Kabbalah Unveiled, trans. S. L. Mathers. New York: Weiser (1971)

Kerényi, Károly. *Dionysos; archetypal images of the indestructable life.* Translated from the German by Ralph Manheim. Bollingen series, v. 65:2 Princeton, NJ: Princeton University Press (1975)

Klossowski, Stanislas, de Rola. *Alchemy the Secret Art.* : London: Thames and Hudson Ltd. (1973)

_____. *The Golden Game. Alchemical Engravings of the Seventeenth Century.* New York: George Braziller, Inc. (1988)

Lepsius, R. *Das TODTENBUCH DER ÄGYPTER NACH DEM HIEROGLYPHISCHEN PAPYRUS IN TURIN.* Osnabruck: Otto Zeller (1969). Facsimile reprint of 1842 edition.

Lesko, Leonard H. *A Dictionary of Late Egyptian*: Berkeley, CA: B.C. Scribe Publications. 4 vols (1982–1989)

Levi, Eliphas. *Dogme et rituel de la haute magie.* Paris: G. Baillère. (1861)

_____. *Historie de la magie, avec une exposition claire et précise de ses procédés, de ses rites et de ses mystèries.* Paris: G. Baillère. (1861)

_____. "Lecture IV: The object of initiation." *The Theosophist 5* (May): (1884)

_____. *Transcendental Magic: its Doctrine and Ritual,* trans. A.E. Waite. London: Rider and Company (1986)

_____. "Unpublished letters of Eliphas Levi." *Lucifer 14.* (1894)

Library of Fathers of the Holy Catholic Church, Vol. I. trans. C. Dodgson, Oxford: (1842)

Liddell, George H. & Scott, Robert. *A Greek-English Lexicon.* Oxford: Clarendon Press (1968)

Lightfoot, John. *A Commentary on the New Testament from the Talmud and Hebraica.* 3 vols. Grand Rapids, MI: Baker Book House (1979)

Lightfoot, John Barber. *The Apostolic Fathers: comprising the epistles (genuine and spurious) of Clement of Rome, the epistles of S. Ignatius, the epistle of S. Polycarp, the teaching of the Apostles, the epistle of Barnabas, the Shepherd of Hermas, the epistle to Diognetus, the fragments of Papias, the reliques of the elders perserved in Irenaeus.* London: Macmillian and Co. (1891) repr. as *The Apostolic Fathers,* Grand Rapids, MI: Baker Book House (1970)

Man and Transformation: Papers from the Eranos Yearbooks. ed. Joseph Campbell. Princeton, NJ: Princeton University Press (1980)

Mead, G.R.S. *Orpheus.* www.Theosophical.ca/OrpheusP2GRSM

Moakley, Gertrude. *The Tarot Cards Painted by Bonifacio Bembo for the Visconti-Sforza Family.* New York: The New York Public Library (1966)

Molinos, Miguel. *The Spiritual Guide which Disentangles the Soul.* English translation from the Italian copy: 1688.

The Mysteries: *Papers from the Eranos Yearbooks.* ed. Joseph Campbell. Princeton, NJ: Princeton University Press (1978)

The Mythology of All Races in Thirteen Volumes. ed. Louis Herbert Gray. (Vol. XII, Egyptian, by W. Max Müller). Boston: Marshall Jones Co. (1918)

The Nag Hammadi Library in English, trans. Members of the Coptic Gnostic Library Project for the Institute for Antiquity and Christianity, San Francisco: Harper & Row(1977)

Naville, Edouard. *Das* AEGYPTISCHE TODTENBUCH DER *XVIII biS XX* DYNASTIE. 3 vols. Elibron Classics, facsimile reprint of 1886 edition.

Neumann, Erich. *Amor and Psyche: The Psychic Development of the Feminine, A Commentary on the Tale by Apuleius.* trans. Ralph Manheim. Princeton, NJ: Princeton University Press (1973)

_____. *The Great Mother. An Analysis of the Archetype.* trans. Ralph Manheim. Princeton, NJ: Princeton University Press(1974)

_____. *The Origins and History of Consciousness..* trans. R.F.C. Hull. Princeton, NJ: Princeton University Press (1973)

_____. *The Place of Creation.* trans. Hildegard Nagel, Eugene Rolfe, Jan van Heurck and Krishna Winston. Princeton, NJ: Princeton University Press (1989)

New Shorter Oxford English Dictionary. 2 vols. Ed. Leslie Brown. Oxford: Clarendon Press (1993)

Nutt, Alfred. *Studies on the legend of the Holy Grail, with especial reference to the hypothesis of its Celtic origin.* London: David Nutt (1888)

Otto, Walter Friedrich. *Dionysus, myth and cult.* Bloomington, IN: Indiana University Press. (1965)

Papus, *The Tarot of the Bohemians.* London: William Ride & Son, Limited. (1910)

Petrie, W. M. Flinders. *The Religion of Ancient Egypt.* London: Archibald Constable & Co. (1908)

_____. *Religion and Conscience In Ancient Egypt.* London: Methuen & Co. (1898)

Pike, Albert. *Morals and Dogma of the Ancient and Accepted Scottish Rite of Freemasonry.* Richmond, VA: L. H. Jenkins, Inc. (1946)

Quadrant, *Journal of the C.C. Jung Foundation for Analytical Psychology*, Vol 12, No. 1. New York: C. G. Jung Foundation (1979)

Regardie, Francis Israel. *The Golden Dawn.* 5th ed., St. Paul: Llewellyn (1986)

Reuchlin, Johann. *De Arte Cabalistica.* trans. Martin and Sarah Goodman. New York: Abaris Books (1983)

Ruland, Martin. *A Lexicon of Alchemy.* York Beach, ME: Weiser (1984)

Saint John of the Cross, *Dark Night of the Soul.* trans. E. Allison Peers, New York: Doubleday (1990)

Scholem, Gershom. *Kabbalah.* New York: Meridian Books (1978)

Sethe, Kurt. *Die Altaegyptischen Pyramidentexte Pyramidentexte nach den Papierabdrucken und Photographien des Berliner Museums.* Leipzig : J. C. Hinrichs'sche Buchhandlung (1908 and 1910).

Sharpe, Samuel. *A History of Egypt*. Vol. 1 London: Bell and Daldy (1870), Vol. 2 George Bell and Sons (1885)

Shennum, David. *English-Egyptian Index of Faulkner's Concise Dictionary of Middle Egyptian*. Malibu: Undena Publications (1977)

Skeat, Walter W. *An Etymological Dictionary of the English Language*. New York: Macmillan and Co. (1882)

Smith, William *Dictionary of Greek and Roman biography and mythology*. 3 vols. London: J. Walton (1867)

Stirling, William. *The Canon: An Exposition of the Pagan Mystery Perpetuated in the Cabala as the Rule of all the Arts*. London: Research Into Lost Knowledge Organisation, (1981)

Strong, James. *Strong's Exhaustive Concordance*. Vancouver: Praise Bible Publishers, Ltd. [no date].

Taylor, Thomas (trans.), Proclus, *The Commentaries of Proclus on the Timaeus of Plato*. London: (1820)

Trench, Richard Chenevix. *Synonyms of the New Testament*, Grand Rapids, MI: Wm B. Eerdmans Publishing Co. (1978)

Waite, Arthur Edward. *The Brotherhood of The Rosy Cross*. Secaucus, NJ: University Books, (1973)

_____. *The doctrine and literature of the Kabalah*. London: Theosophical Publishing Society. (1886)

_____. *The Hermetic Museum*. York Beach, ME: Weiser, (1990)

_____. *The Holy Kabbalah*. New York: Carol Publishing Group, (1990)

_____. *The pictorial key to the Tarot*. Harper and Row. (1980)

Waite, Arthur Edward and Eliphas Levi. *The mysteries of magic: a digest of the writings of Eliphas Levi with biographical and critical essay*. London: Redway. (1886)

Wake, William. *The Genuine Epistles of the Apostolical Fathers S. Barnabas, S. Ignatius, S. Clement, S. Polycarp. The Shepherd of Hermas, and the Martyrdoms of St. Ignatius and St. Polycarp*. London: Printed for Ric. Sare (1693)

Wasserman, James. *The Slaves Shall Serve, Meditations on Liberty*. New York: Sekhmet Books (2004)

Wescott, William Wynn. *Collectanea Hermetica*. York Beach, ME: Weiser (1998)

Westropp, Hodder M. *Finger-rings*. The Antiquary 17 (May)

Wharton, Edward Ross. *Etymological Lexicon of Classical Greek*. Chicago: Ares Publishers Inc. (1974)

Wiedemann, Alfred. *Religion of the Ancient Egyptians*. London: H. Gravel & Co. (1897)

Wilkinson, J. Gardiner. *The Manners and Customs of The Ancient Egyptians.* Vol. III London: John Murry (1878)

Wilkinson, Richard H. *Reading Egyptian Art.* New York: Thames and Hudson (1992)

Writings of Clement of Alexandria, Vol. I. trans. W. Wilson. Edinburgh: T&T Clark, (1867)

The Zohar, trans. Harry Sperling and Maurice Simon. 5 vols., London and New York: Soncino Press, (1984)

Sobre el Autor

J. Daniel Gunther es un estudiante de por vida del esoterismo, la mitología y la religión. Durante más de treinta años ha sido miembro de A∴A∴, la Orden docente establecida por Aleister Crowley. Se le considera una de las principales autoridades en las doctrinas de Thelema y el método sincrético de Magick y Misticismo enseñado por A∴A∴. Está en el consejo editorial de *The Equinox*, publicado por Weiser, y ha ejercido como consultor y asesor de numerosas otras publicaciones en el campo del ocultismo.

Partes interesadas en contactar A∴A∴
puede dirigir su correspondencia a:
Chancellor
BM ANKH
London WC1N 3XX
ENGLAND
email: secretary@outercol.org

NOTA DEL TRADUCTOR

Nací en Sydney, Australia. Como ingeniero eléctrico de profesión trabajé y viví en varios países. Fue a los cuarenta cuando mi trabajo me llevó por primera vez a Chile, donde viví casi diez años. Mi trabajo entonces me llevó de vuelta a Australia por unos pocos años y también después a EE.UU., donde viví hasta 2015. Ahora jubilado y viviendo en Chile, me dedico a tiempo completo a la Obra de la A∴A∴

Conocí por vez primera a Daniel en Sydney en 2009 durante una de sus giras de conferencias y me resultó obvio de inmediato que estaba siendo testigo de un verdadero maestro en acción. El nivel de perspicacia doctrinal que transmitía era iluminador. Una íntima amistad se desarrolló y continúa hasta este día. Desde entonces he impartido varias conferencias de Daniel en español de su parte, con la meta de hacer disponibles sus valiosas percepciones para los estudiantes de Thelema en Sudamérica. Esta traducción de *Initiation in the Aeon of the Child* es una continuación de ese esfuerzo. Espero que aquellos que la lean la encuentren tan inspiradora como yo, cuando la leí por primera vez en inglés.

Me gustaría extender mi gratitud a Roberto Cisterna y Jonathan Marqués por su ayuda en la revisión del trabajo de traducción y por sus muchas valiosas sugerencias.

Por encima de todo, mi más sincero agradecimiento va a mi querido amigo y Hermano Daniel por toda la guía que me ha proporcionado a lo largo de los años y por poner su confianza en mí con este trabajo.

Santo Rizzuto
31st May 2023 E.V.

Milton Keynes UK
Ingram Content Group UK Ltd.
UKHW050847260324
439857UK00004B/4